A Mente Imensurável

CONFERÊNCIAS NA ÍNDIA EM 1982-83

J. Krishnamurti

A Mente Imensurável

CONFERÊNCIAS NA ÍNDIA EM 1982-83

Tradução de
Sergio Moraes

Editora Teosófica
Brasília - DF

Edição em inglês, 1983
Título do original em inglês: *Mind Without Measure*
Krishnamurti Foundation Trust Ltd
Hampshire - Inglaterra

Direitos Reservados à
EDITORA TEOSÓFICA
Sig Sul Qd. 06 Lt. 1.235
70.610-460 – Brasília-DF – Brasil
Tel.: (61) 98613-4906 / 4909
E-mail: editorateosofica@editorateosofica.com.br
Site: www.editorateosofica.com.br
Instagram: @editorateosofica

	Krishnamurti, J.
K 89	
	A mente imensurável / J. Krishnamurti; tradução de Sergio Moraes, Brasília: Editora Teosófica, 2ª ed., 2025.
	348 p.
	ISBN 978-85-7922-171-2
	1. Filosofia Oriental.
	II. Título
	CDD 181

Revisão: Solimeire Schilling e Zeneida Cereja da Silva
Diagramação: Reginaldo Mesquita
Capa: Ana Paula Cichelero
Impressão: Gráfika Papel e Cores - Fone (61) 98592-6028
   E-mail: comercial@grafikapapelecores.com.br

Sumário

Prefácio da Segunda Edição 07
Prefácio da Edição Brasileira 11

CONFERÊNCIAS EM NOVA DÉLI 15
    A Causa Raiz da Confusão 15
    Conflito, Dualidade e Observação 36
    Os Fatores da Desordem 56
    No Término, Há um Novo Começo 78

CONFERÊNCIAS EM CALCUTÁ 99
    A Condição Humana 99
    O Movimento do Vir a Ser 122
    O Término do Sofrimento 147
    O Significado do Viver Diário 165

CONFERÊNCIAS EM CHENNAI 187
    A Natureza e o Conteúdo do Pensamento 187
    A Vida é um Movimento no Relacionamento 205
    Sobre o Tempo 227
    A Meditação é uma Expressão da
    Atividade Diária 248

CONFERÊNCIAS EM BOMBAIM............................ 269
    Onde Existe uma Causa, há um Término 269
    A Boa Mente 290
    Existe Evolução Psicológica?......................... 310
    O que é uma Mente Religiosa? 328

Prefácio da Segunda Edição

Desde tempos muito antigos, os seres humanos têm sido levados a considerar que o pensamento é o mais poderoso e talvez o único instrumento que eles têm para lidar com a vida. Krishnamurti destrói esta noção bem aceita, declarando que o pensamento produz dano aos indivíduos e ao mundo como um todo. O pensamento, sem dúvida, ajudou o homem a progredir em áreas funcionais, e tem o seu lugar certo nisso. Mas no campo psicológico, as soluções que ele oferece só criam problemas.

Desenvolvendo esse tema no livro, Krishamurti mostra como o instrumento do pensamento é inadequado ao atacar as emoções básicas que geralmente subjazem às ações coletivas e individuais – violência, dor, conflito, insegurança, prazer, tristeza, medo, etc. Ele explica, em diferentes contextos, como o próprio pensamento cria e sustenta esses problemas. Então, há "um novo instrumento totalmente diferente do pensamento", ele indaga.

Esta questão, como todas as outras colocadas por Krishnamurti, não tem a intenção de propor uma nova teoria sobre a psique humana ou provocar um debate acadêmico sobre este assunto. É um convite a cada ser humano para realizar em si mesmo uma mudança radical; e este empenho não deve ser individual ou egoísta. Pelo contrário, ele afeta a totalidade da humanidade porque a consciência humana é una, ainda que suas expressões possam variar. "Não é salvação individual; é a salvação de todos os seres humanos", diz Krishnamurti.

As dezesseis palestras públicas neste livro foram ministradas em Nova Deli, Calcutá, Chennai e Bombaim entre outubro de 1982 e janeiro de 1983. A visita de Krishnamurti à Índia em 1982 foi marcada por um dinâmico cronograma de encontros com palestras e perguntas e respostas, além de diálogos com seus ouvintes, estudantes, professores e outros. A visita foi significativa por ter sido a primeira vez que ele ministrou uma série de palestras em Calcutá, ainda que tenha visitado a cidade antes, em 1928 e 1939. A histórica cidade de Calcutá, conhecida por suas atividades artísticas e intelectuais, assim como por seu fervor religioso, lhe propiciou boas-vindas empolgantes, com suas palestras atraindo larga multidão e os jornais locais apresentando-o proeminentemente em suas páginas.

Esta é a segunda edição revisada de *A Mente Imensurável*, que foi primeiramente publicada em 1983.

K. K.

Prefácio da Edição Brasileira

O caminho espiritual é cheio de armadilhas, e deve ser trilhado com muito discernimento e atenção. Para aqueles que travam contato pela primeira vez com a maneira profunda e transformadora de ver a vida e a natureza da psique humana de Jiddu Krishnamurti, esta é uma oportunidade extremamente valiosa de iniciar a jornada do autoconhecimento. Sua clareza, didática e profundidade são reconhecidas mundialmente, e são instrumentos extremamente úteis para resolver os problemas da existência de uma forma marcante e duradoura. Uma nova e revolucionária visão da vida questiona nossos antigos valores, impostos pela cultura, pela sociedade e pelos preconceitos incutidos sem a devida reflexão. Para o leitor que já conhece a mensagem de Jiddu Krishnamurti, esta é mais uma obra que confirma sua capacidade de visualizar e aprofundar a observação, tanto da vida, quanto da natureza humana e seus conflitos.

Nesta obra, ele mostra a origem das guerras, a natureza do desejo, a falácia das mensurações e comparações, e muito mais. O papel do pensamento na solução de nossos problemas é questionado. Como resolver através do pensamento os problemas que são criados e ampliados pelo próprio pensamento? Pode-se, montado na cela do enganador, livrar-se de sua influência e de suas armadilhas? Como transcender ou compreender os mecanismos de identificação com a cultura, com a raça, com a nacionalidade e outras formas de aprisionamento? Enquanto enredados pelo pensamento, somos fonte e alimentação de muitos conflitos, aumentando a dor e o sofrimento do mundo. Há um convite para olharmos o fato como acontece, sem julgamento, comparação ou qualquer tipo de mensuração. Da observação não deturpada surge a ação integral, sem escolha. A mente condicionada, restrita a padrões de pensamento, é incapaz de oferecer uma nova percepção, que cessaria o conflito. A não aceitação

A Mente Imensurável

do que é e a insatisfação entre o que deveria ser e a realidade são fontes de sofrimento indescritível.

Para todos os que entram em contato com sua visão e mensagem, surge a percepção de um mundo atemporal que não é limitado pelo pensamento. Há um perfume de uma dimensão infinita, uma atmosfera de grandeza, beleza e eternidade. Grandeza por não se restringir aos limites de qualquer ideologia, filosofia ou sistema de pensamento; por não se prender a preconceitos culturais ou nacionais de qualquer espécie, mantendo uma constante e saudável atitude de questionamento, de abertura para uma observação não condicionada da vida e do homem. Beleza por trazer ordem e sentido para a existência, liberando a essência da harmonia da vida em movimento; uma serena e contemplativa visão de uma energia infinita, que o autor chama de "o Inominável", subjacente em suas quase poéticas descrições. Eternidade por ultrapassar os limites do pensar condicionado e revelar um silêncio e uma paz sublimes, além das estruturas criadas pela mente finita; por transcender os limites do reino do tempo e revelar um eterno momento presente.

Que o leitor possa mergulhar nessas águas de livre investigação e em seu frescor. Que possa nadar nas profundidades de uma mente não restrita pelos

J. Krishnamurti

condicionamentos e possa, no silêncio de uma atmosfera de compreensão e paz, trazer à tona o que há de melhor em termos de percepção e, por consequência, de solução para os problemas fundamentais da existência.

CONFERÊNCIAS EM NOVA DÉLI

A Causa Raiz da Confusão

Se pudermos salientar, esta não é uma palestra como usualmente se concebe ou um discurso sobre um assunto específico com suas instruções. Ao invés disso, é uma conversa entre duas pessoas, entre você e o orador, não sobre um assunto particular com o intuito de instruí-lo ou para guiar e moldar suas ideias ou opiniões. Somos dois amigos sentados num banco em um parque conversando um com o outro sobre nossos problemas. Portanto, tenham em mente, durante estas conversas, que somos dois amigos profundamente preo-

J. Krishnamurti

cupados com o que está acontecendo no mundo – a confusão, o caos e a anarquia que existe pelo mundo.

Eu me pergunto se você tem um amigo com o qual converse, a quem exponha seus sentimentos, seus conceitos, suas ideias, sua desilusão e assim por diante. Se você tem tal amigo – e espero que o tenha –, com quem possa discutir, investigar juntos, então nenhum dos dois tenta persuadir o outro, guiar ou moldar os pensamentos particulares. Assim, se o desejarem, conversaremos desta maneira, explorando, investigando, nunca nos submetendo ao que o outro diz, nunca expressando nossas próprias opiniões vigorosamente, mas conversando sem qualquer tendência, com grande amizade, que significa com grande afeição, respeitando um ao outro, sem ter nenhum tipo de pensamento oculto, nem motivação oculta.

Dessa forma, investigaremos juntos sem afirmação, porque nesta investigação não há autoridade. O orador não tem autoridade. Ele não é o seu guru, graças a Deus! Ele não é um palestrante afirmando certos pontos de vista ou introduzindo um novo tipo de filosofia ou de ideias. Isto deve estar perfeitamente claro – que ele não é uma autoridade. Mas nós vamos investigar o que está acontecendo neste país, o que está acontecendo não apenas

A Mente Imensurável

externamente, no mundo da política, da economia, dos negócios e no meio ambiente, mas também em nossas vidas internas – nossa confusão, nossa desventura, nosso sofrimento e assim por diante. Portanto, ambos somos responsáveis; o orador não está dizendo o que você deve fazer ou pensar, ou propondo novos sistemas, novas ideologias, etc. Somos iguais; ambos estamos preocupados com nossas próprias vidas e com as vidas dos demais.

Então, vejamos primeiramente o que está acontecendo ao nosso redor, externamente, sem nenhuma tendência, não como um indiano, nem como um alemão, um inglês, americano ou russo. Somos seres humanos, seja qual for o país ao qual pertençamos. Somos seres humanos enfrentando um mundo muito perigoso, lidando com muita incerteza e confusão. E quando a mente está confusa, buscamos algum tipo de autoridade como um meio de segurança.

Como se observa, este país está chegando a uma grande confusão, grande incerteza; existe o caos, e as pessoas não têm direção. Quando estamos confusos, incertos, inseguros, tentamos encontrar uma solução no passado, e nos voltamos para nossas tradições. Isso é o que está acontecendo pelo mundo. Há os fundamentalistas que aceitam a Bíblia como sua autoridade e os fundamentalistas do Islã que se voltam para o Alcorão. Há os fundamentalistas que se voltam para Marx. Então, quando estamos incertos, confusos e muito perturbados, nos voltamos para algum tipo de autoridade, algum tipo de livro, ou ao passado, para encontrar uma direção. Agora, neste país há tantos livros, tantos líderes, que nossa tradição é incerta. Tivemos todos os líderes, todos os gurus, todos os proclamados santos, mas eles não ajudaram a humanidade porque nós somos realmente o que somos neste momento.

Portanto, qual é a causa raiz de toda esta confusão? Porque quando se encontra a causa, pode-se exterminá-la; uma causa tem um término. Então, estamos perguntando: "Qual a causa, ou causas, desta confusão, esta falta de integridade, este sentido de degeneração; qual é a raiz de tudo isto?" A maioria de nós lida com os sintomas, dizendo que é superpopulação, mau governo. Pelo mundo afora é o mesmo – falta de liderança, falta de moralidade. Mas todos estes são sintomas. Nunca perguntamos qual é a causa de tudo isso, e quando começarmos a investigar a causa, cada um de nós dará opiniões diferentes. Quanto mais instruídos formos, maior será a assertiva da causa ou causas. Mas não somos pessoas

A Mente Imensurável

muito instruídas; somos pessoas comuns, leigas. Não somos muito brilhantes nem muito inteligentes. Porém, estamos enredados nisto, neste grande tumulto que existe no mundo e aqui.

Há guerras; toda nação, todo grupo está se preparando para a guerra. Os países industrializados, especialmente, estão suprindo armamentos para o resto do mundo. Outro dia, em Londres, um industrial estava sendo entrevistado na televisão, e ele disse: "Nós enviamos para o exterior oitenta por cento de nossos armamentos e ficamos com vinte por cento". Isso está acontecendo em todos os países industrializados. E ninguém pergunta por que temos que ter guerra, por que temos que matar uns aos outros, assassinar uns aos outros. Eles falam sobre parar guerras nucleares, mas não sobre terminar todas as guerras. Por quê? Por que os seres humanos se reduziram a esta condição? Por favor, é muito importante perguntar sobre isso. Por que você precisa matar outra pessoa? Para quê? Para sua nação? Para seu grupo particular? Você aceitou a ideia de guerra como um amplo processo histórico, e isso se tornou uma grande realidade. Mas a causa disso é que você vive na ilusão de que seu país deve ser protegido. O que é seu país? Por favor, faça essa pergunta. O que você está protegendo? Sua

J. Krishnamurti

casa, seu lar, sua conta bancária, suas ideias? O mundo inteiro está degenerando, caindo aos pedaços, e você não está investigando as causas fundamentais.

Então, sigamos juntos, como dois amigos, e encaremos este problema, que é por que nós, seres humanos, nos tornamos o que somos – confusos, inseguros – e seguimos qualquer líder que apareça, enquanto o país se rompe com o prosseguimento da fragmentação como siques, muçulmanos, hindus e assim por diante. Qual é a causa disto? Você está esperando que o orador lhe diga, ou sua mente, seu cérebro, está suficientemente ativa para investigar, sem depender que o orador lhe diga? Investigaremos juntos, o que significa que sua mente, seu cérebro[1], deve estar tão ativa quanto a do orador. E só poderá estar ativa se você não disser, "Sou um hindu", "Sou um budista" ou o que quer que seja. Você deve ser livre para investigar. "Investigar" significa olhar o que realmente está acontecendo, e não ter uma teoria sobre o que está acontecendo, mas realmente observar com o seu coração, com sua mente, com sua capacidade, com sua energia para olhar.

---

[1] "O contato entre a mente e o cérebro só pode acontecer quando o cérebro está tranquilo."(KRISHNAMURTI, J. *O Futuro da Humanidade*. São Paulo: Cultrix, 1989. p. 71) "Só a mente tem um espaço ilimitado. [...] Dissemos que a inteligência nasce da compaixão e do amor. Essa inteligência atua quando o cérebro está quieto." [*Ibidem*, p. 82] (N. E.]

A Mente Imensurável

Agora, qual é a causa disso? É porque você procurou por outros para ajudá-lo? Você procurou por líderes políticos, líderes religiosos, líderes econômicos, com suas ideias particulares, com seus sistemas particulares, de modo que você esteja sempre dependendo de outros para guiá-lo, para dizer-lhe o que fazer. Será essa a causa raiz, ou você culpa o ambiente? Você culpa o ambiente, que é o governo sem um líder apropriado? É essa a causa? Significa que você tem se apoiado inteiramente na autoridade – a autoridade da tradição, a autoridade dos livros, a autoridade dos líderes, gurus e assim por diante. Quando você é dependente, você se torna gradualmente fraco, você se torna frágil. Você se torna incapaz de pensar claramente porque você é dependente. Isso é um fato. Os jornais lhe dizem o que pensar. Todas as reuniões e as conversas das quais você participa lhe instruem. Portanto, a falta de autoconfiança, do senso de responsabilidade por si mesmo, sem depender de outro, pode ser a causa disto. Nós nos tornamos irresponsáveis porque somos dependentes.

Você e eu estamos investigando juntos. O orador não está afirmando algo. Ele não deseja que você o siga; ele não é o seu guru, ele não é o seu líder. Mas o orador quer lhe mostrar um modo diferente de viver. Não que você deva aceitá-lo, mas investigar, colocar sua mente e seu coração nisto para descobrir como você se tornou o que é – tão inteiramente egoísta, completamente autocentrado. E quando, neste estado de mente e cérebro, você pergunta qual é a causa raiz de tudo isso, você é incapaz de investigar, descobrir, porque seu condicionamento é depender, ser dirigido, ser orientado sobre o que fazer, o que acreditar. Isso é um fato, não é?

Portanto, é possível ser uma luz para si mesmo e não depender de uma pessoa sequer? Certamente você depende do leiteiro, do carteiro, do policial que mantém a ordem nos cruzamentos. Você depende de um cirurgião, de um médico. Mas internamente, psicologicamente, deve-se pensar claramente por si mesmo, observar suas próprias reações e respostas, e ver se é possível tornar-se completamente uma luz para si mesmo. Você compreende o que isso significa – ser uma luz para si mesmo? Não é autoconfiança, não é autossuficiência. Autoconfiança é uma parte de egoísmo, uma parte de egocentrismo. Mas ser uma luz para si mesmo requer grande liberdade, um cérebro com muita clareza, não um cérebro condicionado. Deve-se ser muito ativo, não apenas intelectualmente, ou seja, verbalmente, ou ativo com suas próprias ideias; o orador não quer dizer isso. Possuir um cérebro ativo, de-

A Mente Imensurável

safiar, questionar, duvidar significa ter energia. Mas quando você depende de outros, você perde energia.

Desse modo, estamos perguntando se esta é a causa raiz de toda essa confusão, incerteza, insegurança, a fragmentação deste país em partidos, tudo indicando um estado de caos. E somos responsáveis! Cada um de nós é responsável pelo que está acontecendo. Então, estamos investigando juntos, seriamente, amigavelmente, com um grande senso de afeição por cada um, para ver se podemos ir além disso tudo. Portanto, vocês estão aqui para este propósito. Não para serem instruídos, não para que lhes digam ou lhes deem uma direção — tivemos tudo isto no passado, e esta pode ser a causa desta total falta de responsabilidade pessoal. Sendo assim, prossigamos daqui. Esta é a causa. Onde há uma causa há um fim. Se eu tenho câncer, que é a causa de minha dor, ele pode ser removido. Portanto, onde há uma causa para qualquer problema, há um fim para aquele problema. Mas devemos estar bem certos a respeito da origem de um problema particular ou de muitos problemas, e não apenas explicitar verbalmente os problemas.

A sua mente, e o seu cérebro, está condicionada? Você compreende esta palavra, "condicionada"? Desde o momento que você nasce, o cérebro é condicionado, moldado por sua tradição, por sua religião, pela literatura que você lê, pelos jornais, por seus pais; ele tem vivido por milhões de anos, tem tido muitas experiências. Ele encarou guerras, sofrimento, prazer, dor, agonia, grande perturbação; e é condicionado como um hindu, como um sique, como um muçulmano, como um cristão. Por que ele é condicionado? Por favor, investiguem comigo. Por que o cérebro é condicionado? Se é que vocês estão todos cônscios de que ele é condicionado. Vocês estão condicionados, não estão? Você se denomina hindu e eu me denomino muçulmano. Por quê? Seus pais, seus livros lhe disseram que você é um hindu e eu sou um muçulmano. Isto é, anos de propaganda, dois mil anos de Cristianismo, a repetição de uma certa fórmula e de rituais condicionaram o cérebro. O cérebro muçulmano também é condicionado como é o cérebro hindu, por seus rituais, pela autoridade, pelo conhecimento de prévias instruções e assim por diante.

Portanto, estamos investigando seriamente se seu cérebro é condicionado e se esse condicionamento pode ser resolvido. Nós realmente vemos que somos condicionados? Nós finalmente concordamos sobre essa questão? Se você é condicionado, significa que você se tornou mecânico. Você repete que é hindu, que é muçulmano,

A Mente Imensurável

que é marxista, etc. E assim seu cérebro se torna mecânico, repetindo a mesma coisa várias vezes – que a guerra é necessária, que a liderança é necessária, que você deve se subordinar. Logo, nos interessa primeiramente se o cérebro pode se libertar de seu condicionamento. Se ele é condicionado, eu como um muçulmano e você como um hindu, nós vamos ter conflito; lutaremos um contra o outro, mataremos um ao outro. Isso é o que está acontecendo. E se você gosta de viver em um estado de guerra permanente, esse é o seu afazer. Mas se você é consciencioso, se está preocupado com a existência humana, com o futuro do homem, você deve aprender se é possível libertar o cérebro de seu condicionamento. Existe todo um grupo de pessoas que diz que o cérebro não pode se libertar do condicionamento, que ele sempre será condicionado, mas que o condicionamento pode ser modificado. Esta é uma das teorias do comunismo, do marxismo – que o cérebro nunca pode se libertar de seu condicionamento e que, portanto, você deve condicioná-lo de um novo modo.

Em primeiro lugar, nós realmente percebemos que nossos cérebros são condicionados? Então poderemos perguntar se é possível libertar o cérebro de ser um hindu, um muçulmano, um cristão, um marxista. Nós somos seres humanos, não rótulos. Mas rótulos contam muito; isso é o que está acontecendo. Inicialmente, perceba que nossos cérebros são condicionados, e veja as consequências disso.

Onde há condicionamento, não há liberdade; não pode haver amor, não pode haver afeição. Dessa forma, é imperativo, absolutamente essencial para o futuro da humanidade, que estejamos interessados no cérebro que é condicionado. Se estivermos cônscios a esse respeito, poderemos então continuar a descobrir se é possível libertar o cérebro. A relação entre o cérebro e a mente somente poderá ser percebida quando o cérebro estiver completamente livre. Então o cérebro *será* a mente.

Portanto, somos condicionados, e estamos perguntando se é possível nos libertarmos. Não diga que é ou que não é possível, porque seria um absurdo. Enquanto está investigando, você está aprendendo, pois não está sendo instruído. Você está aprendendo por si mesmo por meio da inquirição, da investigação. Então, vamos descobrir. Por onde você começa? Por onde você começa a investigar se é possível libertar o cérebro de seu condicionamento? Ou seja, você está investigando se é possível não ser um hindu, um muçulmano ou um sique, mas ser apenas um ser humano.

A Mente Imensurável

Dessa forma, onde você começa? Você começa a investigar desde o exterior ou a partir do interior? Ou seja, será o mundo exterior, não o mundo físico, não a natureza, mas o mundo que a humanidade criou, diferente do mundo interior, no qual você vive? A sociedade, a moralidade, os sistemas do mundo exterior – tudo isso é diferente de você? Ou você criou isso? Você quer segurança, quer ter *status*, o mais poderoso e o menos poderoso, o mais ambicioso e o menos ambicioso, o santo religioso e o homem comum, todos criaram isso. Portanto, o mundo é você e você é o mundo. Isto é um fato para você ou apenas uma ideia? É muito importante compreender isso. Nós, em nossa desordem, em nossa confusão, em nosso desejo por segurança, criamos um mundo fora de nós, uma sociedade que é corrupta, imoral, confusa, constantemente em guerra, porque nós mesmos estamos confusos e em conflito. Queremos matar alguém por raiva e violência porque queremos proteger nossa imagem como hindus. O muçulmano quer proteger sua imagem como muçulmano, e o cristão faz a mesma coisa. Um país diz, "inglês, inglês, inglês", e um outro "francês, francês, francês". Eles nunca consideram a si mesmos como seres humanos, mas como entidades isoladas, grupos isolados; isto é parte de seus condicionamentos.

J. Krishnamurti

Portanto, o orador está perguntando: "Por onde você começa, sabendo que você criou este mundo?" Você deve começar por você mesmo, não pela mudança do sistema, do mundo externo, não procurando por um novo líder, um novo sistema, uma nova filosofia, um novo guru, mas olhando a si mesmo como é. Então, você pode se observar como você observaria sua face em um espelho? Você pode observar suas reações, suas respostas, porque suas reações e suas respostas são o que você é. Desse modo, comecemos por aí a investigação.

A vida é um processo de relacionamento. Não há vida sem relacionamento. Isto é um fato. Você pode ser um ermitão, pode ser um monge, pode se retirar da sociedade, mas você está em relação. Como um ser humano, você não pode escapar de estar em relação. Você está em relação com sua esposa, com seu marido, com seus filhos. Você está em relação com seu governo. Você está em relação com o ermitão que se retira, porque você o alimenta, e ele está em relação com suas próprias ideias. Por conseguinte, o relacionamento é a base da existência humana. Sem relacionamento, não há existência. Ou você está em relação com o passado, que significa toda a tradição, todas as memórias, todos os livros, ou você está em relação com alguma ideação sobre o futuro. Assim, o relacionamento

A Mente Imensurável

é a coisa mais importante na vida. Você vê isso, não verbalmente, não intelectualmente, mas realmente, com seu coração e mente? Você vê a verdade disso?

Estamos, dessa forma, investigando o que é o seu relacionamento com o outro, seja ele íntimo ou não. O que é o seu relacionamento? Será porque desde a infância você era ferido, magoado psicologicamente, e a partir dessa mágoa, dessa ferida psicológica, você promove violência? A consequência de ser ferido, machucado internamente, é que você vai cada vez mais se fechando para não ser ferido. Seu relacionamento com o outro então se torna muito estreito, limitado. Então, primeiramente, você deve investigar para descobrir se é possível que você nunca possa ser ferido. Qual é a origem de ser ferido? Qual a causa disso? Quando digo que estou ferido, que meu orgulho foi ferido, o que isso significa? Meu professor me feriu, meus pais me feriram. Estamos todos feridos, estamos todos machucados, por uma palavra, por um olhar, por um gesto. O que é isto que está ferido? Você diz, "Eu estou ferido". O que é este "eu" que está sendo ferido? Não seria uma imagem que você construiu a respeito de si mesmo? Você não tem imagens?

O cérebro tem a capacidade de criar imagens. As imagens são as ilusões que temos. Gostar da guerra é uma ilusão; nós a aceitamos, nós aceitamos matar outro ser humano, outra vida, por causa da imagem que temos. Temos muitas imagens, e uma das imagens é que nós somos feridos. Portanto, estamos investigando qual a entidade que é ferida. A entidade é a imagem que eu construí sobre mim mesmo. Eu acho que sou muito esperto, um grande homem, e você se aproxima e diz, "Não seja um idiota». E eu me ofendo. Onde há comparação, há injúria. Quando eu me comparo com alguém que é mais esperto, mais brilhante, mais inteligente, ou seja, quando há mensuração, certamente há ferimento. Portanto, investigue, por favor, se podemos viver sem comparações, sem mensurações. Estamos sempre nos comparando com alguém. Começa na escola, quando dizem ao menino que ele deve ser tão bom quanto seu irmão. Isto é comparação, isto é mensuração, e este processo continua através da vida.

É possível viver sem comparação, sem mensuração? Esta é uma questão tremendamente complicada, pois a palavra "melhor" é mensuração. A palavra "mais" é mensuração. Autodesenvolvimento é mensuração. Desse modo, descubra se é possível viver sem mensuração, que significa "sem comparação". Sabe-se que parte da meditação é investigar sobre "não vir a ser"; "vir a ser"

A Mente Imensurável

é mensuração. Então, será possível em nosso relacionamento com os outros, em qualquer intimidade, não haver mensuração? Ou seja, seu cérebro deve estar ativo em seu relacionamento, não conduzido como uma máquina. Devemos, então, investigar nosso relacionamento, se neste relacionamento existe injúria. Este ferimento traz muito medo, muito fechamento dentro de si mesmo e, portanto, isolamento. Cada país está se isolando. A Inglaterra está isolada, a França está isolada, a América está isolada em seu modo de ver a vida. Logo, aonde há isolamento, certamente há conflito. Se eu sou um judeu e você é um árabe, ou seja, se você está isolado como um árabe e eu estou isolado como um judeu, vamos lutar. Portanto, enquanto houver isolamento, seja externamente ou internamente, deverá haver conflito. O cérebro foi condicionado em isolamento como um hindu, como um budista e assim por diante. E para investigar esta questão sobre se o cérebro pode resolver seu próprio condicionamento, devemos investigar o relacionamento.

O que é seu relacionamento com o outro, com sua esposa, com seu marido, com seus filhos? Comece aí, dentro de sua casa, não longe. Você sabe, para chegar longe, você deve começar de bem perto. Para chegar muito longe, você deve colocar sua casa em ordem. Então, você consegue estar cônscio, alerta, de modo a observar seu relacionamento e aprender, a partir deste estado cônscio, como você responde e quais são suas reações? Isso requer atenção constante a toda reação, a todo pensamento. Mas a maioria de nós é indolente, e nos tornamos preguiçosos porque somos dependentes de outros.

Então, como dois amigos, chegamos à questão do relacionamento, e investigaremos a natureza deste relacionamento. O *seu* cérebro é humano, ou é o cérebro da humanidade? Esta é realmente uma questão muito séria. O seu cérebro é um cérebro individual ou o cérebro da humanidade? Quando você diz, "Este é o meu cérebro"; quando você diz, "Esta é minha consciência", trata-se de *sua* consciência, sua consciência individual? Ou é a consciência da humanidade? Você sofre, você é inseguro, você crê, você é ansioso, você está em agonia, em aflição. Isto é o que você é. Sua crença, seu conhecimento, seu personagem – isto é o que você é. E isto é exatamente o que seu próximo é: ele sofre, ele passa por agonia, tristeza, sofrimento, dificuldades. Então, a sua consciência é separada daquela do resto da humanidade? Claro que não.

A Mente Imensurável

Desse modo, se você admite isso, se você vê a verdade disso, você é um indivíduo? Você pode *pensar* que é um indivíduo porque você tem pele escura, você é baixo. A atividade periférica faz você pensar que é um indivíduo, mas no fundo você não é uma parte da humanidade? Quando você percebe esta verdade, você jamais mata outro, porque então estaria matando a si mesmo. A partir daí surge uma grande compaixão e amor.

PERGUNTA: O que é ação impessoal?

KRISHNAMURTI: Primeiramente, o que é ação? O que você quer dizer com esta palavra, "ação"? Ou você age de acordo com um padrão, ou de acordo com alguma ideia, ou de acordo com sua experiência, que é o passado, ou de acordo com seu conhecimento, que também é passado, ou de acordo com algum ideal, que está no futuro, ou de acordo com sua conveniência. Então, o que quer dizer com esta palavra? A palavra significa "agindo", não "agiu" ou "agirá". Ação significa agir no presente. Se esta ação é correta, verdadeira, depende da qualidade do seu cérebro, do seu coração, não apenas de uma teoria. Portanto, investigue o que é ação. Estamos todos agindo desde a manhã até a noite. Você está sentado aí e o orador está sentado aqui, e você está escutando e ele está falando; isso é uma ação. Se você

J. Krishnamurti

escuta, isso é uma ação, ou se você não escuta, isso também é uma ação. De que maneira você escuta é uma ação, esteja você realmente escutando ou achando que está escutando.

E o que você quer dizer por "impessoal"? O que quer dizer com esta palavra, "pessoa"? O nome, a forma? Você é um indivíduo que se considera uma pessoa, e então pergunta, "Posso ser impessoal?" Você é um indivíduo? Eu sei que todos vocês acham que são indivíduos. A totalidade de suas tradições e religiões lhes diz que vocês são indivíduos. Vocês o são? Vocês não são o resultado de séculos de empreendimento humano? Veja, você não quer questionar todas estas coisas: você está com medo. Se você não for um indivíduo, o que acontecerá com você? A individualidade é uma forma de isolamento, e portanto estamos todos em conflito uns com os outros, durante todos os anos de nossa vida. Não temos amor uns pelos outros. Falamos sobre o amor de Deus, mas não amamos uns aos outros. Além do mais, Deus é uma invenção do homem. Eu sei que vocês todos acreditam em Deus, mas vocês inventaram esta entidade. Se Deus[2] realmente existe e se ele nos criou, que

---

[2] "Eu nunca disse que não há Deus. O que eu disse é que só existe Deus conforme se manifesta em cada um de nós, e que, quando houverdes

A Mente Imensurável

Deus desprezível ele deve ser. Vocês não querem ver deste modo. Vocês veneram uma ilusão, e gostam da ilusão. Vocês acham que na ilusão há segurança. E estão descobrindo que não há segurança nas ilusões. Seu Deus lhes traiu, e ainda assim vocês o veneram – o Deus cristão, o Deus hindu, o Deus muçulmano. Isso tudo é absurdamente infantil.

Portanto, vamos descobrir por nós próprios se podemos ser uma luz para nós mesmos, sem depender de ninguém psicologicamente, internamente, da esposa, do marido ou do guru, ou de um livro, mas viver uma vida que seja livre, plena de vitalidade, energia, de modo que nossos cérebros não sejam mecânicos. Nossos cérebros se tornaram agora um tipo de computador. Investiguemos, então, uma nova maneira de viver.

Nova Déli, 30 de outubro de 1982.

---

purificado aquilo que está dentro de vós mesmos, achareis a Verdade. É claro que Deus existe, mas não vou empregar a palavra Deus, porquanto ela assumiu um significado muito especial e estreito."[KRISHNAMURTI, J. *Que o Entendimento seja Lei*. Rio de Janeiro: Instituição Cultural Krishnamurti, 1949. p. 11] (N. E.)

Conflito, Dualidade e Observação

Conversaremos sobre muitas coisas nesta noite. E temos que usar palavras para nos comunicar, obviamente, a não ser que sejamos extraordinariamente telepáticos e possamos nos comunicar sem palavras. Mas temo que isso não seja possível. As palavras são necessárias. As pessoas as usam muito casualmente, sem muita entonação ou propriedade por trás delas. E não se ouve realmente o outro. Se você realmente ouve, há sempre uma defesa, há sempre uma resistência a algo que é dito, a algo novo, e talvez a algo que você não tenha pensado. Então há uma reação imediata, que é resistir ou não ouvir porque pode ser perturbador.

Existe uma arte de escutar. Ou seja, ouvir o que está sendo dito, e não o interpretar para sua própria conveniência, em sua própria linguagem tradicional. Para escutar, deve-se ter não apenas uma certa qualidade de atenção, mas também um senso de afeição, de tentar compreender o que o outro está falando. A comunicação é possível, tanto profunda quanto superficialmente, quando ambos estamos interessados pelo mesmo tema, pelas mesmas ideias ou por algo específico. Então estaremos em comunicação

A Mente Imensurável

um com o outro. Mas se você resiste – e talvez você resista bastante ao que o orador vai dizer –, então a comunicação não é possível. Portanto, deve-se aprender a arte de escutar. Quando você escuta uma música que gosta, não há resistência. Você se harmoniza com ela, balança a cabeça, bate palmas, faz todo tipo de coisas para expressar sua apreciação, sua compreensão da qualidade da música, etc. Não há forma alguma de defesa, nenhuma forma de resistência. Você vai com ela, flui com ela.

Do mesmo modo, escute gentilmente, não para ser instruído, nem para que lhe digam o que fazer, mas para entender o que está sendo dito, não para compreender a pessoa que o está dizendo, mas aquilo que está sendo dito. Se você estiver ocupado meramente com a pessoa, ou seja, com o orador, e não com o que está sendo dito, então não estará em comunicação com ele. Portanto, esqueça a pessoa – ela é apenas um telefone –, de modo que você realmente escute o que está sendo dito e descubra por si mesmo. E se você estiver resistindo, por que o faz? Você resiste ou se defende porque não quer ser perturbado, ou não quer algo novo, ou não se importa realmente com o que está sendo dito.

Enquanto conversamos um com o outro, como dois amigos, escutem atentamente, por favor. Aprendam a arte de escutar, não apenas o orador, mas sua esposa, seu marido, seus filhos, os pássaros, o vento, a brisa, de modo que se tornem extraordinariamente sensíveis no escutar. Quando se escuta, apreende-se rapidamente. Não há necessidade de muitas explanações, análises e descrições; há um fluxo. Estamos, então, conversando como dois amigos sentados num parque ou num bosque, onde pássaros estão cantando, e há vários feixes de luz no chão, que passam por entre as folhas. Quando você ouve assim, o milagre acontece. Quando você escuta, é como se plantasse uma semente; e se a semente tem vitalidade, é forte, saudável, e o solo é preparado adequadamente, ela cresce inevitavelmente.

Portanto, se me permitem salientar, vocês devem aprender a arte de escutar. Se você escutar com muita atenção, você apreenderá rapidamente o significado do que o outro está dizendo. Talvez muitos de vocês tenham escutado o orador por vários anos, infelizmente. Vocês se acostumaram com sua linguagem, com seus gestos, com sua aparença e assim por diante, e gradualmente vêm se abstraindo. E você diz, "Por que eu, depois de escutar por anos este homem, não mudei?" Porque não escutou realmente em profundidade, com seu coração, com sua mente, com toda sua energia. Não culpe, pois, o orador,

A Mente Imensurável

mas antes aprenda, se com todo respeito me permitem sugerir, o jeito de escutar. Há grande beleza no escutar – um pássaro, o vento entre as folhas e uma palavra dita com profundidade, com significado, com paixão. Dizíamos ontem que o futuro do homem está em risco e que o homem não tem existência no isolamento – como uma nação, como um grupo, na religião, como um indivíduo e em consciência. Para a maioria de nós, pensar é algo individual. Naquilo que eu penso, no que você pensa, há uma diferença, uma divisão – sua opinião contra minha opinião, meu pensamento contra seu pensamento, ou o pensamento do marido contra o pensamento da esposa. Mas pensar não é individual. Pensar é o fator comum desde o homem mais pobre e ignorante até o maior cientista, ganhador do Prêmio Nobel. Ambos pensam. Mas temos a impressão de que o seu pensamento é seu; enquanto que pensar é a natureza do homem. Quando pensa, portanto, não é o seu pensamento individual; é a capacidade do cérebro de ser ativo e responder, em palavras, em pensamento. Esta é a natureza do homem. Mas reduzimos isso a meu pensamento em oposição ao seu pensamento.

A maioria de nós tem fortes opiniões, tendências, conclusões. Por termos experimentado bastante, achamos que isto é nossa experiência, nossa conclusão. Então, quando uma nova visão lhe é colocada, você se recusa a olhá-la. Pensar é a natureza do homem; não é o seu pensamento ou o meu pensamento. Isso deve ser visto muito claramente. Quando você fala com um homem pobre, iletrado, ignorante, observe que ele também pensa de acordo com seu conhecimento, com sua percepção, como faz o maior dos cientistas. O cientista pensa de acordo com sua experiência, seu conhecimento, e descobre algo novo. Este é o fator comum de todos os seres humanos. Pensar não é seu ou meu; é pensar. Podemos seguir deste ponto? Nós compreendemos uns aos outros pelo menos intelectualmente, verbalmente?

Quando se observa o que está acontecendo no mundo externo, vê-se que cada país está se isolando, cada grupo está se isolando – o muçulmano, o hindu, o budista, o tibetano, o russo, o americano, o chinês, etc. Um segue um guru particular, outro segue outro guru, e assim por diante. Este fator de isolamento está destruindo o mundo, está separando a humanidade. Isto é verdadeiramente um fato que está acontecendo no mundo. Então, internamente, cada um de nós pensa que é separado. A tradição, a religião, tudo tem condicionado nosso pensamento de que somos seres humanos separados. Certamente somos separados no sentido de que

A Mente Imensurável

você é uma mulher e eu sou um homem, um é alto e outro é baixo, branco ou preto, etc. Mas estamos falando em profundidade. Ou seja, a consciência humana é comum, é partilhada por todos os seres humanos. Todos os seres humanos sofrem, passam por grandes aflições, vertem lágrimas, têm o senso de solidão, dor, ansiedade, depressão, insegurança. Os seres humanos mais pobres ou mais sofisticados, eruditos, todos têm este fator; todos compartilham isso. Assim é.

A consciência, portanto, não é sua nem minha; é a consciência de todos os seres humanos. É muito difícil para a maioria das pessoas ver a realidade disso, porque fomos condicionados. No Cristianismo você é uma alma separada, e aqui você é o *Atman*; você reencarna várias vezes até que atinja sabe lá Deus o quê. Ainda é a ênfase de que você é separado, um indivíduo. É assim? Estamos questionando isso. Temos que descobrir, questionar, duvidar, perguntar, o que significa que devemos ouvir, sem nenhuma defesa, sem nenhuma resistência, esta verdade. Estamos usando a palavra corretamente – esta é a verdade. Pode-se, na periferia, no lado externo, ter certos maneirismos, certos hábitos, certas tendências, capacidades, mas, se nos movermos do exterior para o interior, todos compartilhamos os mesmos temas. A não ser que percebamos isso, não verbalmente, não intelectualmente, mas em nossos corações, em nossas mentes, em nosso sangue, iremos nos destruir uns aos outros. É o que está acontecendo. Você é capaz, portanto, de ouvir este fato – não suas opiniões sobre o fato, mas o fato real –, de que nossa consciência é feita de seu conteúdo?

Muitos livros foram escritos sobre a consciência. Há especialistas em consciência. Conferências sobre a consciência têm sido realizadas pelo mundo todo, onde eruditos e especialistas que não estudaram a si mesmos, mas suas pobres vítimas, se encontram e discutem. Nós, porém, não somos profissionais; pelo menos eu não sou. Mas ao investigar a natureza de sua própria consciência, observa-se seu conteúdo. Sem o conteúdo, não há consciência. A consciência é feita de nossas crenças, nossas tendências, desejos secretos, ansiedades, solidão e assim por diante. Este é o conteúdo que constrói a consciência. Sem o conteúdo, não há consciência como a conhecemos. Se você observar sua própria consciência, isto é o que você é. Sua consciência é o que você é: seus medos, seus desejos, seus prazeres, sua solidão, depressão, ansiedade, tudo isso é o que você é.

O conteúdo, pois, constrói a consciência, e essa consciência é condicionada. Uma vez condicionada, es-

A Mente Imensurável

tará em conflito. Vocês não estão todos em conflito de um tipo ou de outro, seja por desentendimentos entre duas pessoas, conflito consigo mesmo, entre "o que é " e "o que deveria ser"? Todos os seres humanos aparentemente são violentos, e a violência é parte do conteúdo de nossa consciência. O conflito surge quando há dualidade: "Sou violento, mas não deveria ser violento". Ou tenho o ideal da não violência, a ideia de praticar a não violência, que este país ama. Mas o fato é que eu sou violento. Isto é um fato; o outro não é um fato. Devemos seguir muito cuidadosamente, pois estamos tentando compreender por que os seres humanos vivem continuamente em conflito, por que existe uma contradição: "Eu sou, eu deveria ser"; "Eu sou violento, devo me tornar não violento". A não violência é uma ideia, um conceito, não uma realidade, porque eu sou violento. Você vê esta realidade? Isto é um fato; o outro não é. Mas achamos que a busca da não violência ajudará a nos tornarmos não violentos, que nos libertaremos da violência.

Isto é muito importante, portanto seguirei pausadamente. Eu sou violento. Os seres humanos são violentos. Vamos compreender o conteúdo desta palavra. O que significa a violência? Existe a violência física. Você atira em mim ou me bate, ou me joga uma bomba, me bo-

J. Krishnamurti

feteia, me machuca. Isto é violência física. O que é violência psicológica? É raiva interior, ódio, querer dominar as pessoas. Não apenas dominação física, mas a dominação de ideias: "Eu sei, você não sabe", "Eu lhe direi e você vai obedecer". Isto é dominação. Os gurus são violentos porque eles dominam as pessoas com suas ideias, com seus sistemas de meditação e todo aquele negócio. Por favor, compreendam isso. Não estamos atacando os gurus. Estou apenas salientando o que a violência é: dependência psicológica, imitação, conformidade, dominação; tudo isso é violência interior. Isto é um fato. Podemos encarar o fato e não a ideia do oposto? E não existe oposto. Existem opostos como escuridão e luz, mulher e homem, alto e baixo, preto e branco, e assim por diante. Há uma diferença aí. Mas internamente haveria alguma diferença?

Estamos tentando compreender por que os seres humanos vivem em conflito e se, de fato, é possível estar totalmente livre do conflito. Então o cérebro poderá trabalhar de forma surpreendente, haverá grande energia, vitalidade, paixão. Mas uma mente que está constantemente em conflito mingua fisicamente e se torna fraca, desgastada. Estamos, pois, interessados em compreender por que os seres humanos vivem em conflito – não

A Mente Imensurável

apenas entre árabes e judeus, muçulmanos e hindus, e tudo aquilo, mas também nas suas relações uns com os outros.

E estamos perguntando, "Há uma dualidade ou apenas *o que é*?" Existe apenas *o que é,* ou seja, eu sou violento. Agora, é possível ser livre da violência, e não o vir a ser não violento? Este país propagou a ideia da não violência. Sendo violentos, estão propagando algo que eles não são. E se lhes perguntarem dirão, "Estou praticando a não violência". Isso significa que estou gradualmente, dia após dia, praticando para me tornar aquilo – não por compreender a violência, mas me tornar algo que denominei "não violência". Vê a diferença? Consequentemente, há conflito. Quando estou observando, aprendendo, investigando o fato, não há conflito. Mas se minha mente está o tempo todo dizendo, "Devo alcançar a não violência", então há conflito. Mas se digo, "Sou violento; qual é a raiz da violência, qual é a natureza da violência?", então eu não a condeno; eu a observo.

É muito importante compreender o que queremos dizer com "observar". Quando você contempla a Lua cheia, você a observa, vê a beleza daquela luz, vê a grandeza, a qualidade extraordinária daquela luz? Ou diz que é a Lua cheia e vai fazer outra coisa? O que então queremos dizer com "observar"? Você alguma vez já observou a montanha com toda sua grandeza, majestade, o cume nevado e os vales profundos, cheios de sombras? Quando você observa, por um segundo todos os seus problemas se foram, pois a majestade daquilo os afastou. Mas os velhos problemas voltam imediatamente. Iremos, portanto, conversar sobre o que significa observar.

Suponha que eu seja violento: como observo essa violência? Quero compreender a natureza dessa violência. Quero explorar, descobrir os fatores extraordinários que contribuem para a violência. Como eu observo? Primeiro, a violência é diferente de mim? Estou perguntando, "Quando digo que sou violento, a violência é diferente de mim?" Ou eu sou aquela violência? Quando você está com raiva, você é a raiva; não é o caso de que você seja diferente da raiva. Você é diferente da raiva apenas quando quer controlá-la, somente quando diz que deve suprimi-la. Mas você é realmente diferente, separado da violência? Devemos seguir com muito cuidado, pois a maioria das pessoas dizem que são diferentes daquilo que denominam "violência". É assim? A palavra "violência" criou uma separação? Pela tradição, por falar constantemente sobre a violência e assim por diante, teria a própria palavra criado uma separação?

A Mente Imensurável

O observador diz, "Eu sou diferente daquilo, sou diferente da violência". Devemos, então, investigar quem é o observador. O observador é o passado, alguém que conheceu o que é a violência. É o passado, é o conhecimento, a experiência, todas as memórias acumuladas. Essas memórias, essas várias formas de conhecimento, e o movimento de tudo isso é o passado. O pensamento se dividiu em passado, presente e futuro. O pensamento se dividiu em observador e observado. O pensamento disse, "Eu não sou violento, a violência não é parte de mim". Mas quando você olha bem de perto, você é violento, você tem raiva, você é ambicioso, invejoso, competitivo, deprimido. Você é tudo isso; você não é o observador. O observador não é diferente daquilo que está observando. Por favor, compreendam isso. É muito importante, pois se você realmente compreender isso, verdadeiramente, com seu coração, com sua mente, com todo seu ser, então o conflito chegará a um fim, porque não existirá qualquer dualidade. Esqueça todos os seus livros, a Vedanta e todo o resto. O fato é que não há opostos exceto fisicamente; psicologicamente, internamente, existe apenas o fato. O fato de que se é violento, raivoso, invejoso, etc.

Agora, você pode observar o fato sem o seu oposto, inventado pelo pensamento? Você vê isto, observa *o que*

J. Krishnamurti

é? Nesta observação, o observador é o observado, o pensador é o pensamento, o experimentador é o experimentado. Mas você os separou. Você diz, "Devo experimentar a iluminação" ou o que queira experimentar. O pensador é o pensamento. Não há pensador sem o pensamento. O observador é o observado, o que analisa é o que está analisando. Posso colocar de dez formas diferentes, mas isto é um fato – o observador é o observado. Portanto, você elimina de todo o senso de dualidade, internamente. Logo, não há a questão de suprimir, escapar, analisar; está lá. Então o que acontece? O que acontece quando há a real percepção da verdade de que existe apenas o fato, não o oposto inventado, mas apenas o que é. Neste caso não há divisão entre o observador e o observado. Então o que acontece? O que acontece quando há a percepção real da verdade de que existe apenas o fato, não o oposto inventado, mas apenas aquilo que é. Nisso, não há divisão como o observador e o observado. Então o que acontece?

Você já fez isso alguma vez, ou isso tudo é apenas teoria para você?

O homem tem vivido em conflito por tempos imemoriais. Se olhar para aquelas cavernas na França ou em certas partes do mundo, você saberá que sempre houve a batalha entre o bom e o mau, o bem contra o mal. Esta

A Mente Imensurável

tem sido a história do homem: conflito. E estamos perguntando se este conflito no homem pode cessar. Então ele se torna um ser humano, vivo, criativo, e tem algo extraordinário. Há esta percepção de que você é violento, não que você seja separado da violência, mas que você é aquilo. Você é negro, você é um professor ou um cientista, tem certas características, tem problemas – tudo isso não é separado de você. O que acontece, portanto, quando este fato, esta verdade é percebida, não intelectualmente, não verbalmente, mas profundamente, como um fato, como uma verdade? O que acontece? Você não eliminou de todo o oposto? Só existe isso. E viver com isso é como ter descoberto uma joia preciosa. Você a observa, vê a beleza dessa joia, a luz, as faces, os vários aspectos dela, que é parte de você.

Portanto, olhar, observar, é extraordinariamente importante, pois não há qualquer divisão entre o observador e aquilo que é observado. Então você percebe que nada pode ser feito a respeito. Você é negro; não pode mudar isso. Tem cabelo escuro; não pode mudar isso. Quando há tal observação, não é a palavra, não é a memória; é algo totalmente novo. Você está encarando de forma inédita esta nova reação a que chamou de violência. Alguma vez observou algo de forma inédita? Já viu a Lua nascente que está subindo como se a estivesse vendo pela primeira vez em sua vida? Já olhou para sua esposa ou seu marido como se fosse pela primeira vez? Já? Ou você apenas diz, "Ela é minha esposa" ou "Ele é meu marido"? É apenas uma observação mecânica? Assim, observar, ver realmente *o que é*, requer grande investigação, energia, vitalidade.

Estamos, pois, empenhados na eliminação de todos os tipos de conflito. Por que você tem opiniões? Você tem opiniões, julgamentos, opiniões políticas, opiniões religiosas, não tem? Por favor, investigue. Não ouça apenas o que o orador está dizendo; investigue isso. Por que você mantém opiniões? Isto é um fardo. "Eu sou um brâmane, você não é"; "Eu sou um sique, você não é"; "Eu sou um muçulmano, você não é" – por que você tem estas opiniões? Isso indica uma mente, um cérebro, que é repleto de opiniões. Ela se torna pequena, estreita; não é livre para investigar, para olhar. Devemos, então, seguir nesta questão.

Por que a mente humana, o cérebro humano, está sempre ocupada, nunca é livre, nunca está quieta? Você pratica a quietude; esta é sua meditação. É como um pianista praticando a nota errada. Investigue, é muito importante, porque nós temos uma tremenda crise no mundo e também uma crise em nossa consciência, em nós.

A Mente Imensurável

Nós devemos também conversar sobre relacionamento. Por que em nossas relações uns com os outros, em qualquer intimidade e proximidade, existe conflito? Por que duas pessoas não podem viver pacificamente? Você já se fez esta pergunta? Por quê? Se eu não sei como viver pacificamente com minha esposa, com meu marido, com minha namorada, eu não consigo viver pacificamente no mundo. Posso falar sobre a paz, posso escrever bastante sobre a paz, viajar o mundo todo falando sobre a paz, mas estou brigando com minha esposa ou meu marido. Portanto, há conflito em nosso relacionamento. Por quê? Por favor, investigue. Você quer que eu lhe diga, ou está investigando com o orador? Veja a diferença. Na verdade, você está esperando que eu lhe diga. Mas se você está realmente investigando, isto é uma partilha, um movimento compartilhado. Estamos pensando juntos, não concordando, mas pensando passo a passo, seguindo juntos, caminhando de mãos dadas por uma estrada onde há tanta beleza, amor e afeição.

Por que existe essa dissensão, esta divisão, entre um homem e outro, entre mulher e homem, em nossos relacionamentos? Você notou isso? Vocês são como duas linhas paralelas que nunca se encontram. Você pode dormir com sua esposa ou com seu marido. Iremos, pois, descobrir juntos por que nas relações humanas temos conflitos tão horrendos e desesperadores? Suponha que sou casado. Eu tenho minhas ambições, meus desejos, meus problemas. Em meu escritório eu sou competitivo, agressivo. Estou seguindo minha própria direção, e minha esposa está também buscando a dela, ambiciosamente ou não, ou docilmente. Eu a domino, e ela resiste. Você conhece todo o jogo. Estamos, então, perguntando, "Por que há este conflito?" Porque temos que viver juntos. Nós temos sexo, temos filhos, mas somos separados. Isto não é um fato? Eu a domino ou ela me domina, ela me maltrata ou eu a maltrato, eu a repreendo ou ela me repreende. Eu não bato nela, mas estou com raiva dela. Eu gostaria de bater nela, mas estou um pouco mais controlado. Sim, senhor, você ri, mas estes são fatos. Eu sou um indivíduo, ela é um indivíduo. Cada um deve ter sua própria direção, sexualmente, em hábitos, em desejos. Portanto, como podem duas pessoas viver juntas deste modo? Significa que você não tem amor por sua esposa ou seu marido.

    Você sabe o que significa amar outro? Você já amou alguém? O amor é dependência? O amor é desejo? O amor é prazer? Eu não amo minha esposa, ela não me ama. Nós somos dois indivíduos, separados. Podemos

A Mente Imensurável

nos encontrar sexualmente, mas continuamos em nossas próprias direções particulares. O amor existe neste país? Não pergunte se existe na Europa. Quando o orador está na Europa, ele fala sobre isso lá. Mas estamos falando sobre isso aqui, estando neste país, nesta parte do mundo. Existe amor neste país? Você ama alguém? O amor pode existir com medo, quando cada um está se tornando algo? Eu estou me tornando um santo e minha esposa não está, ou ela está se tornando uma santa e eu não. E quando cada um está se tornando algo, como pode haver amor? Então o que fará? Você compreende minha pergunta? Eu falei sobre isso. O que você fará? Vai se levantar, ir para casa e esquecer tudo sobre isso? Ou vai investigar se é possível amar sem querer uma única coisa sequer do outro, seja emocionalmente ou fisicamente ou de qualquer outro modo? Posso não pedir nada de minha esposa psicologicamente? Ela pode cozinhar minha refeição e eu posso lhe trazer dinheiro, mas não estou falando a esse respeito – e sim internamente. O amor não pode existir onde existe apego. Se você é apegado ao seu guru, não há amor em seu coração. Sem amor, não há reta ação. Quando há amor, o que quer que faça é reta ação. Você pode falar sobre ação, pode fazer trabalho social, mas quando há amor em seu coração, em seus olhos, em seu sangue, em seu rosto, você é um ser humano diferente. O que fizer terá beleza, terá graça, será reta ação.

Tudo isso que você ouve podem ser belas palavras. Mas terá você esta qualidade? Ela não pode ser cultivada, não pode ser praticada, não pode ser comprada do seu guru, de ninguém. Mas sem ela, vocês são seres humanos mortos. Então o que farão? Por favor, façam realmente este questionamento, descubram por si mesmos por que esta chama não existe em vocês. Por que se tornaram tão empobrecidos? A menos que ponham a casa em ordem, sua casa, que é você mesmo, não haverá ordem no mundo. Você pode meditar pelo resto de sua vida, mas sem isso, sua meditação não tem sentido. Estamos, pois, perguntando muito respeitosamente: o que você fará depois de ouvir tudo isso; qual é sua resposta?

PERGUNTA: O senhor tem falado pelos últimos cinquenta anos sobre mudança radical e, obviamente, não se vê qualquer mudança radical neste mundo. Minha pergunta para o senhor é...

KRISHNAMURTI: "Então por que você fala?" É isso?

PERGUNTA: É isso. Precisamente.

KRISHNAMURTI: Você está interessado nisso? Vo-

A Mente Imensurável

cês todos se tornaram ativos de repente! Você diz: "O senhor tem falado sobre mudança fundamental da consciência humana pelos últimos cinquenta anos ou mais, mas não tem havido mudança alguma. Então a pergunta é, por que o senhor fala?"

O orador não está falando para seu próprio divertimento, para sua própria satisfação ou para ser encorajado. Se ele não falasse, ele não se sentiria deprimido ou carente de algo. O orador tentou não falar por um ano. Entretanto, por que eu falo? Vocês alguma vez já se perguntaram por que o lótus desabrocha? Já perguntaram a uma flor por que ela cresce, por que ela tem tanta beleza, por que ela tem cores tão maravilhosas, serenidade, perfume e glória? O orador pode estar falando de compaixão – pode ser. Mas ele não está falando para sua autossatisfação.

Nova Déli, 31 de outubro de 1982.

Os Fatores da Desordem

Se pudermos salientar, estamos investigando juntos, questionando juntos, duvidando, perguntando. Isto não é uma palestra. Estamos investigando, caminhando juntos por todo o campo da existência, lidando não com um problema específico, mas com o problema do homem, o problema dos seres humanos. Um dos fatores em nossa existência é que vivemos em desordem. Aparentemente, depois de trinta, quarenta mil anos ou mais, não fomos capazes de viver totalmente em ordem – como o Universo, que está em completa ordem, absoluta ordem – não ordem relativa, mas ordem sob todas as circunstâncias em que vivemos, ordem socialmente, politicamente, e também dentro de nós mesmos.

Por favor, tenham em mente, se me permitem repetir mais uma vez, que o orador não é de modo algum importante. A personalidade do orador não tem qualquer relevância. O que importa é que nós, vocês e o orador, possamos revelar as causas da desordem, não meramente escutar a explanação ou a descrição que o orador possa fazer, mas pensarmos juntos, observar, mergulhar em nós mesmos, de maneira não egoísta ou autocentrada,

A Mente Imensurável

mas olhar para nossas vidas, olhar para o que fizemos do mundo e por que o homem vive em contínua desordem, externa e internamente. Alguém pode gostar de viver em desordem, mas isso é um assunto bem diferente. Devemos investigar se é possível viver em ordem primeiro internamente, depois externamente, não o contrário. Internamente, profundamente dentro de nós mesmos, podemos viver em completa ordem?

A beleza é completa ordem. Mas, em grande parte, não temos esse senso de beleza em nossas vidas. Podemos ser grandes artistas, grandes pintores, especialistas em vários assuntos, mas em nossas vidas diárias, com toda sua ansiedade e tormento, vivemos, infelizmente, uma vida de muita desordem. Isto é um fato. Mesmo os grandes cientistas, embora possam ser especialistas em seus ramos, têm seus próprios problemas, suas dificuldades, dores, lutas e ansiedades como todos nós. Estamos, pois, perguntando, "É possível viver em completa ordem interna?" Não se imponha disciplina, controle, mas investigue a natureza desta desordem e suas causas, e se afaste dela, ou limpe as causas. Então haverá uma ordem viva, como no Universo.

A ordem não é um planejamento ou um acompanhamento de um padrão específico de vida, ou o seguimento de certos sistemas, cegamente ou abertamente. Devemos nos investigar e descobrir por nós mesmos, não comandados, não guiados, mas desvelar em nós mesmos as causas reais desta desordem. Isto é uma troca entre vocês e o orador. Não podemos conversar com tantas pessoas. Mas nós, cada um de nós, podemos pensar juntos, não de acordo com meu modo ou seu modo, mas tendo a capacidade de pensar claramente, objetivamente, de modo impessoal, de maneira que ambos sejamos capazes de nos encontrar, que possamos nos comunicar de uma forma feliz, simples, com algum senso de afeição e beleza. Portanto, nós, vocês e o orador, estamos perguntando quais são as causas não apenas deste caos no mundo fora de nós, mas também de nossa própria bagunça, confusão e desordem psicológica interna, que criaram a desordem externamente. Quais são as causas disso?

Poderíamos considerar o desejo como um dos fatores? Investigaremos o desejo, o medo, o prazer e o pensamento. Iremos passo a passo, com vagar. Usaremos o tempo necessário. Devemos investigar de perto, com bastante hesitação. O desejo é um dos fatores? Então perguntamos, "O que é o desejo?" Para a maioria de nós, o desejo é um fator potente. O desejo nos move, o

A Mente Imensurável

desejo evoca um senso de felicidade ou dissabor. O desejo varia em sua busca, o desejo muda de acordo com seus objetos. E o que é o desejo? Por que é que todas as religiões e as pessoas assim chamadas "religiosas" suprimiram o desejo? Por todo o mundo, os monges e os *sannyasis* negaram o desejo, embora estivessem fervendo por dentro. O fogo do desejo está queimando, mas eles o negam, suprimindo-o ou identificando aquele desejo com um símbolo, com uma imagem, e renunciando ao desejo por aquela imagem, por aquela pessoa. Mas ainda é desejo. A maioria de nós, quando nos tornamos conscientes dos nossos desejos, ou os suprimimos, ou cedemos a eles, ou entramos em conflito. O desejo por algo e o desejo de não o ter – esta é a batalha que segue dentro de todos nós quando existe o impulso do desejo.

Portanto, devemos juntos investigar de forma alegre e simples a natureza do desejo. Não estamos advogando que vocês o suprimam, se rendam a ele ou o controlem. Isso tem sido feito no mundo todo por todas as pessoas religiosas. Estamos examinando bem de perto, de modo que, a partir de sua própria compreensão do desejo – como ele surge, sua natureza –, a partir desse discernimento, da autoconsciência, você se torne inteligente. Então, esta inteligência é que age, não o desejo.

J. Krishnamurti

Primeiramente, estamos, cada um de nós, cientes do extraordinário poder do desejo? O desejo por poder, o desejo por certeza, o desejo por Deus, se você gosta deste tipo de coisa, o desejo por iluminação, o desejo de seguir algum sistema. O desejo tem vários aspectos. Ele é tão intrincado quanto o movimento da agulha de um grande mestre tecelão. Portanto, você tem que olhar para isso com muita simplicidade. E então surgirá a complexidade. Mas se você começar pela complexidade, não chegará muito longe. Se começar com simplicidade, então poderá ir bem longe. Dessa forma, estamos olhando para isto: a raiz e o começo do desejo.

Alguma vez você já notou como operam os nossos sentidos? Você se conscientiza dos sentidos – não de um sentido particular, mas da totalidade dos sentidos – sentindo, degustando, ouvindo? Estão todos estes sentidos completamente em operação? Você alguma vez já olhou para uma árvore quando todos os seus sentidos estão ativos, atuando? Já olhou para o mar, para a montanha, para a colina e os vales com todos os seus sentidos? Se o fizer, então não haverá um centro do qual olhará para as coisas. A totalidade de suas reações sensoriais é completa, não controlada, moldada, suprimida. A menos que compreenda isso muito claramente, é perigoso dizê-lo.

A Mente Imensurável

Porque, para a maioria de nós, nossos sentidos são parciais. Podemos ter muito bom gosto para roupas e pouco gosto para mobília; vocês sabem disso. Do modo como vivemos hoje, nossos sentidos são limitados. Ninguém, nenhuma religião, nenhum outro filósofo disse isto: permita que todos os sentidos floresçam e, com esse florescimento, perceba a beleza do mundo.

O que é o desejo? Qual é sua causa? Como ele surge? Ele não surge por si próprio. Ele surge pela sensação, pelo contato, por ver algo – ver um homem ou uma mulher, ver um vestido na vitrine, ver um belo jardim ou uma grande colina. Há uma sensação imediata. É natural, saudável, ter tal sensação, tal resposta. Então o que acontece? Eu vejo uma bela mulher ou homem, uma bela casa, um belo vestido. Vejo uma bela camisa, feita muito delicadamente. Toco o material. Há o ver, depois o contato, e do contato vem a sensação. O que acontece depois? Você tocou a camisa, teve a sensação da sua qualidade, da sua cor. Até agora não houve desejo; houve apenas sensação. Então o que acontece?

Agora, vocês estão esperando que eu lhes diga. Por favor, olhe para isso cuidadosamente; não respondam, mas, por favor, olhem por si mesmos. Porque, vejam, a menos que descubram com seus corações e mentes,

J. Krishnamurti

não o conquistarão; vocês estarão apenas repetindo o que outro disse. E isso é o que está destruindo este país. Todos vocês citam outra pessoa, a *Gita*[3] ou os *Upanixades*[4], ou algum outro livro antigo, e repetem. Mas nunca descobrem, nunca é seu. É de outra pessoa e, portanto, vocês se tornam seres humanos de segunda mão. Enquanto que se descobrirem por si mesmos, virá uma extraordinária liberdade.

Assim, nos perguntemos, "Quando se vê um vestido, uma camisa ou um carro, o que acontece?" Você toca aquele vestido ou aquela camisa. Então o pensamento cria a imagem de você naquele vestido, naquela camisa, naquele carro. Quando o pensamento cria aquela imagem, este é o momento no qual nasce o desejo. Ou seja, o desejo começa quando o pensamento cria a imagem. Eu vejo um belo violino; eu quero ter aquilo, a beleza do som que o violino produz. Eu gostaria de possuí-lo. Eu olho para ele, toco nele, tenho um senso de sua estrutura e gostaria de tê-lo. Ou seja, no momento em que o pensamento entra no campo da sensação e cria a imagem, começa o desejo.

---

[3] *Bhagavad-Gita – A Canção do Senhor*, tradução por Annie Besant, Ed. Teosófica, 2010. (N.E.)

[4] MEHTA, Rohit *O Chamado dos Upanixades*, Ed. Teosófica, 2013. (N.E.)

A Mente Imensurável

Agora, a questão é se pode haver um hiato, isto é, ter a sensação e não deixar que o pensamento venha e controle a sensação. Este é o problema, não a supressão do desejo. Por que o pensamento cria a imagem e mantém aquela sensação? É possível olhar para aquela camisa, tocá-la, ter a sensação e parar, não permitindo que o pensamento se introduza? Já tentaram algo do tipo? Não, temo que não. Quando o pensamento entra no campo da sensação – e o pensamento também é uma sensação – quando o pensamento toma o controle da sensação, se inicia o desejo. É possível apenas observar, ter contato, ter a sensação e nada mais? Aqui não cabe disciplina, pois no momento em que você começar a se disciplinar, esta será uma outra forma de desejo por atingir algo. Você deve, portanto, descobrir o começo do desejo e ver o que acontece. Não compre a camisa ou o vestido imediatamente, mas veja o que acontece. Porém, você está tão ansioso por obter algo, por possuir algo – uma camisa, um homem, uma mulher ou algum *status* – que nunca tem o tempo, a quietude, para olhar tudo isso.

O desejo, então, é um dos fatores da desordem. Temos sido treinados para controlar, suprimir ou mudar o objeto de desejo, mas nunca olhamos para o movimento, o florescer do desejo. Isso é, portanto, uma das causas da desordem em nossas vidas. Por favor, tenham em mente que não estamos tentando controlar o desejo – isso tem sido tentado por todos os assim chamados "santos" – ou saciar o desejo. Estamos tentando compreendê-lo como se olha uma flor, como ela cresce.

Seria o medo uma das causas da desordem? Obviamente que é: medo de falhar, medo de não ser capaz de cumprir, medo de perder, medo de não ganhar. Você tem todo tipo de medo, incluindo o medo do guru. Já observou como você se prostra em frente a um guru? Você quer algo dele, então você o venera; e quando você venera, existe medo. Há múltiplas formas de medo. Não estamos tomando uma forma particular de medo. Estamos perguntando, "Qual é a raiz do medo?" Se soubermos, se pudermos descobrir a raiz do medo, então a árvore inteira estará morta. Mas se estivermos interessados por um pequeno medo particular – da escuridão, do marido, da esposa ou alguma outra coisa – nossos cérebros não estarão envolvidos na descoberta de toda a raiz dele.

Então, qual é a raiz do medo? Como ele surge? É um problema muito complexo. E todo problema complexo deve ser abordado de maneira muito simples; quanto mais simples melhor. "Mais simples" significa que você não sabe como lidar com a raiz do medo. Você não sabe,

A Mente Imensurável

então começa a descobrir. Mas se você já chegou a uma conclusão sobre a raiz do medo, então você nunca descobrirá o que é a raiz. Você deve, portanto, abordar o medo de forma bem simples, o tronco e a raiz do medo, não os galhos. Estamos, então, perguntando, "Qual é a causa ou a origem do medo?"

Você diria que o tempo é um fator do medo? Ou seja, estou vivendo, mas devo morrer amanhã. Isso é tempo, certo? Para ir daqui até a sua casa, requer tempo. Existe, portanto, dois tipos de tempo. O tempo do nascer e do pôr do sol, escuridão e amanhecer, o tempo do relógio, o tempo da distância que você tem que percorrer – isto é tempo físico. Existe o outro tempo, que é psicológico, interno: "Eu sou isto, mas serei aquilo"; " Eu sou violento, mas estou praticando a não violência; eu sou brutal, mas dê-me tempo e vou superar isso". Portanto, existe o tempo psicológico. "Espero encontrar meu amigo amanhã" – esperar implica tempo. Há o tempo do relógio e o tempo do vir a ser psicológico, do subir a escada do vir a ser, ou seja, criar um ideal e tentar alcançar esse ideal. Tudo isso implica tempo psicológico: "Eu sou isto, mas amanhã eu serei diferente"; "Não atingi a posição de poder, mas dê-me tempo, eu a obterei". Portanto, um dos fatores do medo é o tempo: "Estou vivendo, mas posso morrer dentro de uma semana".

O que é o tempo? Devemos perguntar o que é o tempo, não o tempo do relógio, mas o tempo que temos como "eu espero", "eu irei", que é mensuração. Esperança implica mensuração. Bem, o tempo é um movimento, não é? Devemos chegar agora a um ponto onde começamos a compreender que pode haver um fim ao medo completamente, internamente. Comece sempre internamente, não externamente, de modo que haja uma possibilidade de ser totalmente livre do medo. Para descobrir, deve-se começar a investigar.

Medo é tempo, não é? Tempo é um movimento de um ponto a outro, tanto fisicamente como psicologicamente. Preciso de tempo para aprender uma língua. Pode levar um, dois ou três meses. Para ir daqui a Londres, leva tempo. Para aprender a dirigir um carro, preciso de tempo. Mas eu uso este tempo para me tornar algo internamente. Eu me desloco do fato físico de aprender uma língua e digo a mim mesmo que, da mesma forma que preciso de tempo naquele caso, também preciso de tempo para evoluir, para me tornar menos violento. Preciso de tempo para aprender uma língua, mas também penso que preciso de tempo para superar a violência, para trazer paz ao mundo. Esse é um movimento de mensu-

A Mente Imensurável

ração. Então, o que é o movimento? É pensamento. O pensamento é um movimento, e o pensamento criou o tempo. Não para aprender uma língua, mas para vir a ser algo. Ou seja, eu quero mudar *o que é* ; e para mudar isso, penso que preciso de tempo assim como preciso de tempo para aprender uma língua.

O desejo, o tempo, o pensamento são, pois, os fatores que fazem surgir o medo. Eu fiz alguma coisa errada dois anos atrás; aquilo causou dor, e eu espero não fazer a mesma coisa novamente. Desejo, tempo, pensamento.

O que é o pensamento? O mundo inteiro está se movendo no reino do pensamento. O mundo tecnológico, com toda sua extraordinária complexidade, é trazido pelo pensamento. Eles construíram as máquinas mais extraordinárias, mais complicadas, como o computador, o jato, etc. Tudo é erigido pelo pensamento. Todas as grandes catedrais são erigidas pelo pensamento. Todos os templos e todas as coisas que estão nos templos, nas catedrais, são erigidos pelo pensamento. Os rituais são inventados pelo pensamento. O guru é inventado pelo pensamento. Quando você diz, "Eu sou sique", é o pensamento se condicionando como um sique e operando a partir daí. O pensamento, portanto, se tornou o fator mais importante em nossa vida. Em nossos relacionamentos, domina o pensamento. O pensamento criou os problemas da guerra, e o pensamento então diz, "Devo ter paz", o que é uma contradição. Devemos, então, compreender por que o pensamento se tornou tão extraordinariamente importante no mundo. E este é o único instrumento que temos – pelo menos pensamos que temos.

O que é o pensamento? Qual é a origem e o início do pensamento, e por que o homem depende do pensamento? Todos os grandes intelectuais, os grandes cientistas, os grandes filósofos, todos os livros que têm sido escritos, seja a Bíblia ou o Alcorão ou os seus *Upanixades*, são baseados no pensamento. E o que é o pensamento pelo qual vivemos? Vamos explicá-lo, mas vocês estão descobrindo. Eu não estou lhes dizendo. Dessa forma, não esperem que eu lhes diga; pelo amor de Deus, não esperem. Se assim o fizerem, se tornarão seres humanos inúteis.

Existe pensamento sem conhecimento? O que é o conhecimento? Existem, de fato, vários tipos de conhecimento, mas tomaremos dois. Há o conhecimento que adquiro ao ir para a escola, para a universidade, ou ao me tornar um aprendiz e acumular habilidades gradualmente. Se quero ser um carpinteiro, devo aprender

A Mente Imensurável

sobre a granulação da madeira, sobre os instrumentos que uso. Devo aprender, adquirir grande quantidade de conhecimento. Se quero ser um cientista, devo ter bastante conhecimento. O conhecimento nasce da experiência. Um cientista descobre algo, outro cientista lhe adiciona ou subtrai. Portanto, há uma acumulação gradual de conhecimento. Agora, o conhecimento é completo ou é sempre limitado? Por favor, reflita. Pode o pensamento humano, que nasce do conhecimento, ser total, completo, acerca de tudo? Obviamente não. O conhecimento sobre algo nunca pode ser completo. Por conseguinte, o conhecimento é sempre limitado. A *Gita*, os *Upanixades*, a Bíblia, o que as pessoas escreveram, todos são conhecimento. O conhecimento, seja ele dado por um santo, um político ou um filósofo, é limitado. Por isso, não idolatre o conhecimento. Como ele é limitado – e de fato é –, então o conhecimento sempre convive com a ignorância.

O pensamento nasce do conhecimento. Ou seja, eu experimento um acidente, e ele é registrado no cérebro como doloroso. Essa experiência é armazenada no cérebro como memória, e na próxima vez em que eu dirigir, serei cuidadoso. Ou seja, há a experiência, o conhecimento daquela experiência é armazenado no cérebro como memória, e daquela memória vem o pensamento.

J. Krishnamurti

Se não houver memória, o que acontecerá com você? Você estará em um estado de amnésia. O pensamento, pois, é sempre limitado. Não existe pensamento supremo, pensamento nobre ou pensamento ignóbil. O pensamento é limitado; e porque é limitado, seja o que for, produzirá conflito nos relacionamentos humanos.

Você compreende a complexidade do pensamento, sua sutileza, sua extraordinária capacidade em uma determinada direção? Veja o que o pensamento criou em termos tecnológicos. Alguma vez já olhou para um maravilhoso maquinário, um dínamo, um motor a pistão, um avião a jato? Tecnologicamente, estamos progredindo à velocidade da luz, em parte porque queremos matar uns aos outros.

O pensamento, pois, criou guerras e os instrumentos de guerra. O pensamento criou também todas as coisas extraordinárias da vida: saneamento, saúde, procedimentos cirúrgicos, comunicação e assim por diante. O pensamento é responsável por tudo isso. Mas o pensamento também criou problemas. Portanto, estamos perguntando se o pensamento é o único instrumento que temos. Esse instrumento está se tornando embotado, está criando problemas, e os problemas criados estão sendo resolvidos pelo pensamento, que está então crian-

A Mente Imensurável

do mais problemas. Estamos, pois, perguntando se há outro tipo de instrumento que não seja o pensamento. O pensamento é limitado. E o pensamento não é seu ou meu pensamento; é pensamento. Não é o pensamento individual; é pensamento, seja você rico, seja você um grande erudito ou um pobre aldeão que não sabe ler ou escrever. Você vê desordem em sua vida em qualquer nível que viva. Você pode ter o maior poder na Terra, como um político ou como um guru, mas vive internamente em desordem. Por conseguinte, no que tocar, trará desordem. Você vê isso por todo o país. Os fatores da desordem são o desejo, o tempo e o pensamento. E se exercitar o pensamento para criar ordem, estará ainda criando desordem. Isso está claro?

Toda a nossa vida é baseada na disciplina, como soldados que são disciplinados dia após dia, mês após mês. Disciplinamo-nos para fazer isto e para não fazer aquilo. A raiz da palavra "disciplina" é "aprender" – não a partir de alguém, mas de si mesmo, de suas próprias reações, sua própria observação, suas próprias atividades e comportamento. A disciplina nunca produz inteligência. O que faz surgir a inteligência é a observação, ser livre do medo, e compreender a natureza do desejo. Por exemplo, se você compreende o desejo, vê sua natureza, sua estrutura, sua vitalidade, quando se torna ciente de que a sensação e o pensamento penetram o desejo, então está começando a ter inteligência, que não é sua ou minha inteligência, mas inteligência.

É possível, pois, depois dessa palestra, que vocês sejam livres do medo, que é um tremendo fardo para a humanidade? Agora vocês a ouviram. Estão livres dele? Se forem honestos, não estão. Por quê? Vamos, investiguem. Por quê? Porque não investigaram realmente, não seguiram passo a passo e disseram, "Vamos descobrir". Coloquem sua paixão, sua energia, sua vitalidade nisso, não o aceitem. Não fizeram isso; apenas ouviram casualmente. Não disseram, "Tenho medo do meu marido", ou do que for que tenham medo. Olhem para ele, tragam-no à luz e olhem para ele. Mas vocês têm medo de olhar para ele. Então convivem com ele, como alguma doença horrível. Vocês vivem com medo, e isso está causando desordem. Se veem isso, já estão operando com inteligência.

PERGUNTA: Como podemos alcançar a ausência de pensamento?

KRISHNAMURTI: Como alcançar ausência de pensamento! Vocês já alcançaram. (*Risos*) Vocês já alcançaram perfeitamente. Vocês se tornaram máquinas. Nunca pensam adequadamente, e querem descobrir como es-

A Mente Imensurável

tar mais adormecidos, como estar realmente sem pensamento. Esta é uma pergunta equivocada. Se compreenderem a natureza do pensamento, sua complexidade, sua sutileza e sua beleza, dessa compreensão haverá o desabrochar de uma flor. Então nada mais importa. Você não pergunta mais como vai ganhar isto ou aquilo. Desabrocha como uma flor, e você vê a sua beleza. Você vê a beleza de uma flor, de uma montanha, da Lua cheia em uma folha, da luz prateada numa rocha? Deve-se investigar também o que é a beleza. Não em uma pintura ou em algo, mas beleza em nossa vida. Há muitas coisas para se falar. Não tocamos na questão da tristeza e o fim desse fardo. Somente com o afastamento da tristeza você terá compaixão. Se você sofre, se tem aflição, ansiedade, ambição e assim por diante, você não sabe o que o amor é. Mas você quer ser ambicioso, quer ter poder, posição, casas melhores, carros melhores, etc. Já percebeu que um homem que é ambicioso não tem amor em seu coração? Como ele poderia? E vocês são todos muito ambiciosos, seja para atingirem o *Nirvana* ou para se tornarem o administrador do banco. Ambos são a mesma coisa. Atingir o *Nirvana, Moksha* ou o céu é a mesma coisa que se tornar o administrador do banco, porque ambos são ambições. Portanto, viver uma vida de inteligência significa

J. Krishnamurti

não ter ambição, mas ainda assim ser tremendamente ativo. Mas parece que vocês desconhecem isso.

Devemos, portanto, falar sobre o término do sofrimento, as implicações da morte e o que é religião. Sem religião, não se pode criar uma nova estrutura, uma nova sociedade. Mas o que se tem como religião é totalmente absurdo, sem sentido nenhum. Vocês repetem algum *sloka* ou algum *japam,* ou o que for , mas isso não é religião. Ler a *Gita* todo dia até morrer não é religião; citar algum livro não é religião; seguir um guru ou fazer alguns rituais dia após dia não é religião. Vocês devem, portanto, investigar a profundidade dessa palavra. Pois uma nova cultura, uma nova civilização só podem nascer da verdadeira religião, que não é toda esta parafernália que acontece em nome da religião. Não sei quando vocês farão isso.

PERGUNTA: Para o senhor, qual é o real sentido da vida?

KRISHNAMURTI: Por favor, ouça. Veja o quão raivoso, o quão defensivo você se torna. Você nem olha para o seu *japam* ou para a sua repetição do que for que repita. Você não pergunta, "Por que estou fazendo isto? Qual a razão, o que está por trás de tudo isto?" Você segue a tradição, e então acha que isso é religião. Sabe, alguém já calculou que há trezentos mil deuses na

A Mente Imensurável

Índia. Talvez seja melhor do que ter um deus; pode-se escolher o que quiser. Mas a reverência a Deus ou dizer, "Eu creio em Deus", não é religião. Religião é algo totalmente diferente. Ter uma vida religiosa significa ter compaixão, amor; significa o fim do sofrimento, descobrir o reto relacionamento com os outros. Mas vocês não estão interessados em tudo isso. Não estão inteiramente, profundamente, apaixonadamente interessados em descobrir. O que a maioria das pessoas quer é não ser incomodada em seu particular modo de vida padronizado. E vocês ficam raivosos ou violentos quando dizemos, "Apenas olhem para o que estão fazendo". Já notaram os Estados totalitários, o que estão fazendo? Qualquer um que discorde é mandado para outro lugar. Vocês estão fazendo exatamente o mesmo. Portanto, considerem, por favor, empreguem sua energia, sua capacidade, em descobrir se existe um modo diferente de viver nesta Terra.

PERGUNTA: Eu não acho que seja possível para os seres humanos viverem sem desejo e sem medo porque um ser humano é feito de carne e sangue e não é uma estátua.

KRISHNAMURTI: Seja como queira, você diz que não é possível. Eu nunca disse, "Viva sem desejo". Eu nunca disse isso. Eu disse, "Compreenda o desejo, investigue a natureza do desejo, explore, adentre este impulso do desejo". Mas você interpreta como "viver sem o desejo". Eu nunca disse isso.

PERGUNTA: Senhor, os *Upanixades* são também as descobertas da verdade pelos grandes sábios. Por que não deveriam ser lidos? Não nos foi dito que devem ser lidos, que devemos refletir sobre eles, meditar sobre eles. A *Gita* é também um dos grandes livros que deveria ser lido. Por que deveria ser desencorajado o estudo deles?

KRISHNAMURTI: Por que você toma como certo que todos eles são verdadeiros? Quando um livro é impresso, por que assume isso como algo terrivelmente sério? Pergunte a si mesmo: por quê? O Alcorão, seu livro particular, a Bíblia, ou os livros dos santos – por que os toma todos tão pavorosamente a sério? Eles afetaram a sua vida?

PERGUNTA: Eles afetaram a vida da Índia por muitos milhares de anos.

KRISHNAMURTI: Oh, não. Olhe a catástrofe que está acontecendo neste país. Veja quão inconsequentes as pessoas são. Vocês têm uma pobreza inconcebível neste país, e desordem, e suas próprias vidas estão em desordem, mas falam sobre algum livro. Estes livros não

A Mente Imensurável

afetaram o mínimo que seja as suas vidas. Vocês não amam ninguém, amam?

PERGUNTA: Nós amamos.

KRISHNAMURTI: Se vocês amassem alguém, este país não estaria no caos que está. Não haveria guerras se amássemos as pessoas. Seus livros, portanto, seus *japams,* seus rituais não têm qualquer significado, porque vocês perderam a coisa mais preciosa na vida. Provavelmente nunca a tiveram – amar sem ciúmes, sem posse. O amor não é apego. Se todos nós amássemos, todos sob essa tenda, então haveria uma nova Índia amanhã. Por favor, apenas ouçam. Vocês nem mesmo ouvem. Vocês são tão intelectuais – desculpem, retiro essa palavra – são tão verbais; usam apenas palavras. Descubram por que suas vidas são tão vazias, rasas, por que não têm amor, por que não há compaixão, por que são hindus, siques, muçulmanos. Vocês nunca fazem estas perguntas.

Meditação é fazer estas perguntas. Meditação é descobrir a realidade destas perguntas e a verdade que está por trás delas.

Nova Déli, 6 de novembro de 1982.

No Término, Há um Novo Começo

Nós falamos juntos durante os últimos três encontros sobre o isolamento das nações, que é uma das causas da guerra, e ainda sobre o isolamento de cada indivíduo do resto da humanidade. Dissemos que o ódio está se espalhando cada vez mais, principalmente neste país. Discutimos também sobre o quanto os seres humanos se ferem, e carregam essa ferida por todas as suas vidas, e sobre as consequências disso. E falamos sobre relacionamento, que é a coisa mais importante na vida, e por que sempre há conflito nos relacionamentos. Sem relacionamento, não existe vida. A vida é um movimento em relacionamento. Falamos sobre as várias imagens, ilusões e mitos que os homens criaram, e como essas imagens, ilusões, estão destruindo a humanidade – a ilusão da nacionalidade, a ilusão a respeito de nossos próprios deuses especiais, as ilusões a respeito de pessoas que nos deram algum tipo de conselho. Ainda, falamos a respeito do medo, e se é possível para a humanidade, para cada um de nós, ser inteiramente livre do medo. Fomos para as causas do medo, e apontamos as várias correntes que

A Mente Imensurável

criam o grande rio do medo. E a humanidade, que tem vivido nesta Terra por milhões de anos, nunca foi capaz de se libertar do medo. Temos buscado o prazer, não apenas o prazer sexual, mas também o prazer da posse, da dominação, do apego, do poder.

Precisamos falar nesta noite acerca do sofrimento, sobre se existe um término para o sofrimento, ou se a humanidade, que é você e todos nós, deve manter e nutrir o sofrimento. Devemos, também, falar sobre o significado da morte, pois é parte de nossa vida. E devemos entrar na questão da religião, o que implica, o que é uma mente religiosa, e também na meditação.

Então, conversaremos juntos como dois amigos que se conhecem há algum tempo, não se opondo um ao outro, nem defendendo ou acusando, mas investigando, aprofundando vagarosamente, porque descobre-se o que é verdadeiro apenas quando não há certezas. Aqueles que começam com certeza terminam com incerteza. Enquanto aqueles que começam com incerteza – questionando, perguntando, duvidando, investigando – terminam com absoluta certeza, não certeza relativa, mas certeza absoluta. Portanto, por favor, não comecem com certeza. Não estejam certos de que Deus existe, de que sua religião particular é boa, de que todos os livros,

J. Krishnamurti

os chamados "livros sagrados", estão certos, e não se apoiem neles; eles não têm sentido na vida.

Estamos, pois, investigando juntos o que é o sofrimento, se ele pode acabar, e se, existindo o sofrimento, pode haver amor. Os seres humanos têm sofrido inconcebivelmente pelo mundo. Durante os últimos cinco mil anos, tem havido guerras praticamente todo ano, e os seres humanos verteram inúmeras lágrimas. Isto não é algo sentimental ou imaginário; isto é a realidade. O homem tem sofrido e continua a sofrer. Neste país, existe doença, dor e a angústia da existência humana. A vida não é aprazível; a vida é tumulto, agonia. Tornamo-nos cada vez mais cônscios de tudo isso, e começamos a ver muito claramente que todos os seres humanos carregam o mesmo fardo, compartilham a mesma tristeza, não uma tristeza particular, a de um filho ou um irmão que morre, ou da esposa ou marido que se vai, mas a tristeza que o homem acumulou por milhares de anos. Estamos interessados na compreensão desta tristeza. Por favor, não interprete a afirmação como se estivéssemos preocupados com a tristeza individual. Sua tristeza é a tristeza da humanidade, a tristeza de todos os seres humanos, vivam eles na Rússia, na América, na China ou nesse país desvalido.

A Mente Imensurável

Portanto, estamos questionando, perguntando, sobre as causas da tristeza, a dor da tristeza, a aflição, a ansiedade que vem com a tristeza, a suprema solidão da tristeza. Assim como o prazer, a tristeza é reduzida à minha. Quando estamos preocupados com nossa própria tristeza particular, nós esquecemos, negligenciamos, desconsideramos a tristeza da humanidade. Mas nossa consciência é a consciência da humanidade. Devemos compreender isso muito claramente, pois ao compreender a natureza de nossa consciência, ou seja, o que somos, vemos que nossa dor, nossa solidão, nossa depressão, nossas alegrias e nossas crenças são compartilhadas por toda a humanidade. Alguns podem acreditar em um tipo de Deus, e você pode acreditar em um outro tipo de Deus, mas a crença é comum, a crença é geral, e isto é a nossa consciência, isto é o que você é. A língua que você fala, a comida que você come, o clima, as roupas, a educação, a constante repetição de certas frases, a solidão, o supremo medo da morte – este é o solo no qual a toda a humanidade pisa. E você é essa humanidade. Meu amigo e eu estamos falando sobre isso juntos, e eu estou apontando para o meu amigo, que está sentado a meu lado, que essa consciência não é individual – é a consciência de toda a humanidade, com seus mitos, superstições, imagens, medos e assim

J. Krishnamurti

por diante. É importante compreender isso, não intelectualmente, não verbalmente, mas com seu coração, com sua mente. Porque antes que cheguemos à questão do que a morte é, devemos primeiro compreender a natureza de nossa consciência, a natureza do que realmente somos, não do que deveríamos ser, mas do que somos realmente na vida diária. E isso é, de fato, compartilhado por todos, por cada ser humano no mundo. Estamos investigando a natureza da tristeza. Não estamos discutindo a sua estreita e pequena dor e agonia particular, mas a agonia da humanidade, da qual você é parte. Portanto, esta investigação não é egoísta. Esta investigação abre tremendas possibilidades. Então, descubra por si mesmo a natureza da tristeza, por que os seres humanos têm passado pela tortura da tristeza. O que é a tristeza, e por que a humanidade não a descartou, não se livrou dela? Por favor, faça esta pergunta a si mesmo: por que você necessita ter algum tipo de tristeza, algum tipo de angústia, dor, a tristeza da solidão? Embora você seja casado e tenha filhos, você é uma pessoa solitária. Vocês se separaram enormemente. Quando há uma grande aflição, você percebe o quão solitário é.

Então, estamos perguntando se uma das causas desta tristeza é essa solidão. A solidão é o resultado de nossa

A Mente Imensurável

vida diária. Cada um de nós está totalmente convencido de que é uma alma separada, uma entidade separada; logo, toda a nossa atividade é autocentrada; cada um, do mais alto ao mais baixo, é autocentrado, egoísta. E esta diária atividade autocentrada trará inevitavelmente a solidão, a separação, a divisão. Estamos, pois, perguntando, "Este isolamento em nosso modo de pensar, em nosso modo de vida, é uma das causas da tristeza?"

E será o apego a causa da tristeza? Eu sou apegado à minha esposa, ao meu filho, às minhas memórias, às minhas crenças, às minhas experiências. Eu sou apegado a eles. Eu creio, e sou apegado a essa crença; e quando esta crença é questionada, posta em dúvida, sacudida, há incerteza, dor. E isso é uma das causas da tristeza? É, pois, possível ser livre de toda crença, não uma crença particular ou um ideal particular, mas ser totalmente livre de todos os ideais, de todas as crenças? Por favor, não pergunte, "Se alguém é livre de crenças e ideais, com o que você os substitui?" Esta é uma pergunta equivocada. Veja a verdade de que qualquer crença e qualquer ideal dividem as pessoas. A crença não é uma realidade. Eu não *creio* que o Sol nasce e se põe; assim é, isto é um fato. Mas eu creio que Deus existe ou não existe. Eu creio em alguma ideologia – comunista, socialista, conservacionista, capitalista, qualquer que seja – pela qual estou disposto a lutar, a matar pessoas. Portanto, ser inteiramente, completamente, livre de toda crença – isto é liberdade. Você crê porque isso lhe dá um senso de segurança. Você pode crer em Deus, como a maioria de vocês o faz, porque isso lhes dá um senso de proteção, direção, segurança. A mente inventou, o cérebro inventou várias formas de segurança: o nacionalismo, as imagens religiosas e os assim chamados "livros sagrados". Todos dão uma certa qualidade de segurança. Mas realmente não existe qualquer segurança neles; isto é uma ilusão. Dessa forma, perceber que a crença, os ideais e assim por diante são muito destrutivos, que eles separam os homens, ver a verdade disso é se tornar inteligente. Somente na inteligência existe completa segurança, não em suas crenças, mitos e ideais. E esta inteligência não é sua e nem do orador; é inteligência. Isto é ver o falso como falso e extinguir o falso. Isto é ver realmente *o que é*, não imaginar e fugir dele, mas ver realmente o que somos e explorar isso. E nesta exploração, há o despertar da inteligência.

Estamos, pois, perguntando "A tristeza, a dor e a angústia são trazidas por nosso isolamento em mente, pensamento e ação?" A tristeza é o resultado de nosso

A Mente Imensurável

apego diário, do modo como somos apegados às pessoas? Por favor, despertem para tudo isso, vejam a verdade de tudo isso e explorem a natureza do apego. O apego gera ansiedade, medo, dor, inveja, ódio; tudo isso é consequência do apego. Você é apegado à sua esposa ou ao seu marido. Veja as consequências disto: vocês dependem um do outro, e esta dependência gera uma forma de segurança. E quando aquela pessoa lhe deixa ou se afasta, você fica em sofrimento, na agonia da desconfiança, do ódio e da tristeza. Vocês não sabem de tudo isso? Não é nada novo, tudo isso. É um fato da vida diária. Pode não acontecer a você, mas está acontecendo a outros, milhões de outros. Em seus relacionamentos, existe tristeza, pavor, agonia.

Estamos perguntando, "O apego é uma das causas da tristeza?" Estou apegado a meu filho, e ele morre. Então eu invento várias formas de conforto; eu nunca permaneço com a tristeza. Permanecer com a tristeza, sem fugir dela nem buscar conforto, não escapar para alguma forma de entretenimento, religiosa ou de outro tipo, mas olhar para ela, viver com ela, compreender a natureza dela – quando você assim o fizer, a tristeza abrirá a porta da paixão. Não luxúria, mas paixão. Vocês não são pessoas apaixonadas, pois nunca compreenderam a nature-

J. Krishnamurti

za da tristeza e o término da tristeza. Vocês se tornaram muito embotados. Vocês aceitam as coisas, aceitam a tristeza, o medo, aceitam ser dominados pelos políticos, por seus gurus, por todos os livros e tradições. Significa que nunca querem ser livres, e estão temerosos de ser livres, com medo do desconhecido. Logo, inventam várias formas de consolo, de imagens ilusórias e de esperanças.

Agora, depois de ver tudo isso sobre a tristeza, de ter olhado para ela, eu percebo, quando meu filho morre, o quão apegado eu estou a ele, como eu o perdi para sempre, e permaneço com esta tristeza. É como uma flor. Ela desabrocha, se abre e fenece. Ela morre ao fim do dia, pode morrer ao final da semana, mas ela fenece. Você deve dar-lhe uma oportunidade para que floresça – para o florescimento da tristeza e o fim da tristeza. Então você é apaixonado, você tem vitalidade, energia, impulso. Aonde existe a tristeza, não pode existir o amor. Seus livros, sua *Gita*, podem falar sobre isso. Eles falam sobre o amor? Eu duvido. Eles falam? Apenas investigue; não me diga que eles falam, pois isso nada significa. Como pode uma mente, um cérebro, que está em agonia, que é solitário, autocentrado, amar? O amor não é emoção, o amor não é sentimento, algo romântico, fantasioso, confortante. É tremendamente vital, tão forte quanto a mor-

A Mente Imensurável

te. Aonde há tristeza, não há amor. E como a maioria dos seres humanos no mundo sofre e nunca resolve o problema do sofrimento, não sabe o que é amar. Atualmente, reduzimos o amor ao prazer, ao apego sexual e assim por diante. Portanto, temos que perguntar, "O prazer é amor? O desejo é amor? O pensamento é amor? O amor pode ser cultivado?" Obviamente que não.

E sem amor, sem o sentido da compaixão, sua chama, sua inteligência, a vida tem muito pouco significado. Você pode inventar um propósito para a vida – a perfeição e todo o resto desse negócio – mas sem esta beleza fundamental do amor, a vida não tem significado. Sua vida, de fato, quando você a observa, o que significa? Ir ao escritório todo dia pelos próximos cinquenta anos, ganhar um pouco de dinheiro, um pouco de poder, criar filhos, dar-lhes o tipo errado de educação, e assim perpetuar esta incrível crueldade no mundo. Você pode ler todos os livros do mundo, ir a todos os museus do mundo, ouvir palestras como esta de um tipo diferente de orador, mas se não há aquela qualidade, aquele sentido extraordinário de beleza com sua grande sensibilidade, a vida tem muito pouco significado – mesmo para as pessoas no topo, para os príncipes da Terra, para as pessoas no poder. Sem isso elas se tornam cada vez mais maldosas e caóticas.

Vocês ouvem tudo isso, mas amam alguém? Ou este amor contém ciúme, possessividade, dominação, apego? Se contém, então não é amor; é apenas uma forma de prazer, entretenimento. Portanto, onde há tristeza, não pode haver amor e, em consequência, não há inteligência. O amor tem sua própria inteligência. A compaixão tem esta qualidade de inteligência pura, não adulterada. Onde existe isso, esta inteligência opera neste mundo. Esta inteligência não é o resultado do pensamento. O pensamento é um assunto menor. Quando, pois, ouvem tudo isso, quando vocês veem a verdade de tudo isso – se o fazem – há o perfume, o senso de estar amando completamente um outro? Ou voltam para a velha rotina?

Devemos também conversar sobre a questão da morte. Essa não é uma questão mórbida. Como o amor, a dor, a tristeza e o medo, a morte é uma parte de nossa vida. Vocês podem postergar, podem dizer, "Eu tenho mais dez anos de vida", mas ao final disso existe a morte a esperar. Toda a humanidade teme a morte ou a racionaliza, dizendo que a morte é inevitável, que o que sai da terra morre na terra. Então, vocês e o orador vão investigar a natureza do morrer, o que isso significa e por que vocês são por ela tão amedrontados. Em primeiro

A Mente Imensurável

lugar, para compreender a profundidade e o completo significado deste extraordinário incidente que vocês chamam de morte, vocês devem compreender a natureza de nossa própria consciência, o que vocês são. Se vocês não compreendem o que são, realmente, não descritivamente, então a morte se torna algo amedrontador. A partir daí, vocês veneram a morte em diferentes formas, como alguns o fazem.

Portanto, antes de irem para a questão da morte, vocês devem compreender o que são. O que são vocês? Um nome, uma forma, homem ou mulher, com certas qualidades, certas tendências, idiossincrasias, desejos, dor, ansiedade, incerteza, confusão. E a partir desta confusão, vocês inventam algo permanente, o Absoluto, *Brahman* ou Deus. Mas o que vocês realmente são é o movimento do pensamento. Este pensamento pode inventar a ideia de que vocês têm a centelha da divindade em vocês, mas isso é ainda o movimento do pensamento. Então, o que é você, além de suas diferenças físicas, como homem ou mulher, diferenças na educação, rico ou pobre? Quando olham a si mesmos, o que vocês são realmente? Vocês não são tudo isso? Não digam que têm alguma grande divindade em vocês. Isso é apenas uma invenção; não é uma realidade. Se existe algo perma-

J. Krishnamurti

nente em vocês, então por que buscar a permanência em algum outro lugar?

Comecem, pois, com a incerteza, comecem pelo não saber. Isso é o que vocês são. Vocês o conhecem muito bem. Vocês conhecem o seu rosto quando olham no espelho; isso é o que vocês são. Também, internamente, vocês são todo o esforço, a dor, o conflito, o sofrimento, a confusão. Isso é o que vocês são, realmente. Esse é o estado de todos os seres humanos. Logo, sua consciência não é sua. É o solo comum no qual todos os seres humanos pisam, e o partilham. Se esta verdade for claramente vista, então o que é a morte?

A morte é o fim de tudo: seus prazeres, suas memórias, suas experiências, seus apegos, ideais, crenças. Tudo isso termina. Isso é o que vocês são, e termina. Mas vocês não gostam do término. Para vocês, o término é dor. Então começam a inventar, buscar por conforto na reencarnação. Nisso é o que a maioria de vocês acredita. Nunca perguntam o que é que encarna na próxima vida. O que é que encarna? Suas memórias, suas experiências, seus anseios, ter uma vida melhor, uma casa melhor, se tornar um grande legislador? Isso é o que vocês são agora e irão encarnar na próxima vida. Se vocês acreditam realmente, profundamente, se sentem que nascerão na próxima vida,

A Mente Imensurável

então o que estão fazendo agora é de todo importante – como pensam, o que sentem, como reagem. Porque tudo isso nascerá na próxima vida. Vocês apenas acreditam na reencarnação, mas isso não é uma realidade. A realidade é a sua vida agora, e vocês estão relutantes em encará-la. Portanto, a morte é algo a ser evitado. Vocês sempre perguntam, "O que acontece *depois* da morte?" Mas vocês nunca perguntam, "O que acontece *antes* da morte?" O que acontece agora em suas vidas? O que são suas vidas? Trabalho, trabalho, trabalho, escritório, dinheiro, dor, esforço, subir a escada do sucesso – isso é sua vida. E a morte coloca um fim a tudo isso.

É possível, portanto, enquanto vivendo, colocar um fim, cessar seu apego, colocar um fim em suas crenças? Eu sei que vocês não podem colocar um fim à sua conta bancária, se vocês têm uma. Vocês compreendem a beleza de colocar um fim em algo voluntariamente, sem motivo, sem pressão? No término, há um novo começo. Se vocês terminam, há alguma coisa; as portas estão abertas. Mas vocês querem ter certeza, antes de terminar, que a porta se abrirá. Assim, vocês nunca terminam, nunca colocam um fim às suas motivações. Dessa forma, compreender a morte é viver uma vida de término psicologicamente, internamente.

J. Krishnamurti

E agora devemos conversar sobre religião e meditação. O que é religião? A origem, o significado básico desta palavra é muito duvidoso. Buscou-se em vários dicionários, mas seu significado básico é incerto. O que é religião para a maioria de vocês? Crença, rituais. Se você é um cristão, há crença em um salvador particular, com todos os rituais, com toda a bela arquitetura dentro das grandes catedrais. Não sei se já viram um cardeal performando uma Missa; é realmente uma bela visão, pela grandiosa beleza e extrema precisão, que impressiona as pessoas pobres. Crença, dogma, rituais, seu *puja* diário, se você pratica o *puja* diariamente, e acima de tudo sua crença em Deus – isto é o que vocês chamam de religião, que não tem *absolutamente nada* a ver com sua vida diária. Todas as religiões, organizadas ou não, disseram, "Não mate; ame". Mas vocês continuam matando. Vocês continuam reverenciando falsos deuses, o que é tribalismo. Os siques, os mulçumanos, os hindus – tudo isto é tribalismo. E estão matando uns aos outros, e isto é o que vocês chamam de religião.

Para descobrir a natureza de uma mente religiosa, vocês devem colocar de lado todas essas coisas infantis. Vocês o fariam? Claro que não. Vocês continuarão fazendo seu *puja*, suas cerimônias, se tornando escravos dos

A Mente Imensurável

padres. A religião se tornou uma forma de entretenimento. Podem considerar este entretenimento muito sagrado, mas ainda é entretenimento porque não afeta sua vida de modo algum. Você pode colocar de lado tudo isso e não pertencer à assim chamada "religião", não sendo cristão, hindu, budista, muçulmano? Deixe tudo isso; é toda a propaganda de séculos. Como um computador, você está sendo programado. Quando você diz, "Eu sou um hindu", você tem sido programado pelos últimos cinco mil anos. Quando, pois, você está investigando a natureza da religião, você deve ser livre de tudo isso. Você o seria? Porque quando há liberdade de tudo que é falso, ilusório, então você começa a investigar o que a meditação é, não antes. Uma mente em conflito, um cérebro sob esforço, não pode meditar. Você pode sentar quieto por vinte minutos todo dia ou toda tarde, ou toda noite, qualquer que seja, mas se o cérebro está em conflito, sofrimento, ansiedade, solidão e tristeza, qual é o valor de sua meditação?

Portanto, investigaremos o que a meditação é, não como meditar. Você diz, "Diga-me como meditar", o que consiste em lhe dar um sistema, um método, uma prática. Você sabe o que a prática, a repetição diária, faz ao seu cérebro? Seu cérebro se torna entorpecido, mecânico, inativo, sem vida e sem vitalidade; ele é torturado, fazendo um esforço para alcançar algum silêncio, algum estado de experiência. Isso não é meditação. Isso é apenas outra forma de empreendimento, como um político se tornando um ministro. Em sua meditação, você quer alcançar a iluminação, o silêncio. É o mesmo padrão repetido, apenas você o chama de religioso e os outros o chamam de empreendimento político; não há muita diferença.

    O que é meditação? O que essa palavra significa? Se você procurar em um dicionário, vai descobrir que significa "ponderar, pensar sobre, ocupar-se de, olhar". É o que significa. A palavra "meditação" também implica mensuração, medir. Primeiramente, a palavra implica ser capaz de pensar claramente, sem confusão, não pessoalmente, mas objetivamente. Portanto, é preciso clareza. E meditação também significa mensuração, medir. Estamos sempre medindo, que consiste em comparar – "Eu sou isto, eu serei aquilo" –, que é uma forma de mensuração. "Eu serei melhor" – a palavra "melhor" é mensuração. Ou seja, comparar a si mesmo com outro é mensuração. Quando você diz ao seu filho ou a alguém que ele deve ser como seu irmão mais velho, isto é mensuração. Então vivemos por mensuração, estamos sempre comparando.

A Mente Imensurável

Isto é um fato, não é? Então, nosso cérebro está condicionado a medir; "Eu sou isto hoje, espero ser diferente daqui um ano, não fisicamente, mas psicologicamente". Isto é mensuração.

Agora, viver sem mensuração, ser totalmente, completamente, livre de toda mensuração é parte da meditação. E não, "Estou praticando isto, obterei algo daqui a um ano". Isto é uma mensuração, que é a natureza própria da atividade egoística. Nas escolas, nós comparamos; nas universidades, nós comparamos. E nós nos comparamos a alguém que seja mais inteligente, mais bonito fisicamente. Há esta constante mensuração acontecendo, quer você esteja ou não consciente deste movimento de mensuração. Portanto, meditação é o fim da mensuração, o completo fim da comparação. Veja o que isto implica: não existe um amanhã psicológico. O amanhã é a mensuração do *que é* no tempo. Portanto, a mensuração, a comparação e a ação da vontade devem terminar completamente. Não há ato de vontade na meditação. Toda forma, todo sistema de meditação é uma atividade da vontade. "Eu vou meditar, vou sentar quietamente, me controlar, enfocar meu pensamento, praticar" – isto é a ação do desejo, que é a essência da vontade. Portanto, na meditação, não há atividade da vontade.

Você compreende a beleza de tudo isso? Quando não há mensuração, comparação, empreendimento, vir a ser, existe o silêncio da negação do "eu". Não há "eu" na meditação. Não há, "Diga-me como meditar. Eu tentei a meditação Zen, a forma tibetana de meditação, as formas budista e hindu de meditação, e os últimos sistemas dos gurus de meditação". Todas são formas de ação da vontade, que é uma forma de desejo.

Portanto, uma mente, um cérebro, que existe em um ato de meditação – isto é a íntegra da meditação. A totalidade da vida é meditação, não um período de meditação quando você medita. Meditação é o completo movimento do viver. Mas você separou a meditação da sua vida. É uma forma de relaxamento, como tomar uma droga. Se você quiser repetição, repita "Coca-Cola", que tem o mesmo efeito de embotar a mente. Enquanto que na meditação, quando não há mensuração, quando não há ação da vontade e da mente, quando o cérebro está inteiramente livre de todos os sistemas, há um grande senso de liberdade. E nesta liberdade há ordem, ordem absoluta, e *isso* você deve ter na vida. Então, neste estado de mente, existe o silêncio, não o silêncio inventado, não a busca do silêncio, não o querer, o desejo de ter uma mente quieta. Tudo isso é muito infantil. Mas quan-

A Mente Imensurável

do há a liberdade da mensuração, que é a atividade do "eu" em se tornar algo, então nesta liberdade e ordem absoluta existe o silêncio.

Existiria algo sagrado, não inventado pelo pensamento? Não há nada de sagrado nos templos, nas mesquitas, nas igrejas. São todos invenções do pensamento. Portanto, quando vocês descartam tudo isso, há algo sagrado? É este algo sem nome, atemporal, a consequência de grande beleza e completa ordem que surge em nossa vida diária. Por isso a meditação é o movimento do viver, da vida. Se você não compreende a base de tudo isto, ou seja, sua vida, suas reações diárias e seu comportamento, sua meditação não tem qualquer significado. Você pode sentar nas margens do Ganges ou outro lugar desses e fazer todo tipo de truques consigo mesmo. Isso não é meditação. Meditação é algo da vida diária. É um movimento da vida; e quando há liberdade e ordem neste movimento, floresce um grande silêncio. Somente quando você perceber isso, descobrirá que existe algo absolutamente sagrado.

Nova Déli, 7 de novembro de 1982.

CONFERÊNCIAS EM CALCUTÁ

A Condição Humana

Desde o início, devemos estabelecer nosso relacionamento. Isto não é uma palestra, como usualmente entendida. Uma palestra é um discurso sobre um assunto particular como forma de instrução. Isto é uma conversação entre você e o orador. O orador não está lhe dizendo o que fazer, o que pensar, como deve se comportar e assim por diante. Ele está sentado em uma plataforma pela conveniência de outros, mas ele não tem autoridade. Isto é uma conversação entre duas pessoas preocupadas com o que está acontecendo no mundo, o que está acontecendo ao homem – não um homem em particular, mas o homem por todo o mundo – e com o que o homem está fazendo ao homem. E conversaremos amigavelmente, desapaixonadamente, objetivamente. Juntos, refletiremos sobre o que exatamente está acontecendo no mundo – não em alguma parte específica do mundo – e sobre o que está acontecendo ao homem na Terra.

Para se ter uma conversação, uma comunicação amigável, séria, um com outro, devemos aprender a escutar. Nós dificilmente ouvimos o outro. Nós continuamos com nossos próprios pensamentos, com nossos próprios problemas, com nossas próprias ideias e conclusões particulares, sendo assim muito difícil ouvir o outro. E estamos sugerindo que vocês ouçam. Existe uma arte de escutar. Conversaremos sobre muitas coisas: guerra, nações divididas, grupos divididos e relações humanas. Conversaremos sobre os problemas do medo, do prazer, sobre toda a complexidade do pensamento humano, se a tristeza pode terminar, e sobre as implicações e complexidades da morte. Iremos conversar também sobre o que é religião, o que é meditação, e se há algo sagrado, eterno. Portanto, você precisa ter a arte de escutar tudo isto – não o que você pensa, com todas as suas tradições, com todo o seu conhecimento, mas escutar o outro, que está lhe dizendo algo. Então a comunicação se torna

A Mente Imensurável

simples, fácil. Mas se não estamos pensando juntos, o que é uma tarefa árdua, então você e o orador estarão pensando em direções diferentes. Há, pois, uma arte de escutar, que não consiste em traduzir o que o orador está dizendo, mas escutar as palavras, o conteúdo, o significado e a profundidade das palavras. O orador entrará em muitos destes problemas passo a passo, com vagar, claramente, objetivamente. Estamos usando linguagem comum, diária. Não há jargão, não há assunto especializado sobre o qual estejamos falando. O significado de uma palavra tem grande profundidade, e como estamos falando em inglês, sem utilizar quaisquer palavras misteriosas, é importante que você e o orador estabeleçam um correto relacionamento. Ele não é um guru, ele não irá lhe dizer o que pensar, como pensar. Mas estamos juntos observando as atividades dos seres humanos pelo mundo – por que eles se tornaram o que são após quarenta mil anos de evolução, por que eles estão matando uns aos outros, destruindo uns aos outros, explorando uns aos outros, por que eles dividiram o mundo em nacionalidades, como judeus, árabes, hindus, muçulmanos e assim por diante.

Olharemos para tudo isso; e é importante olhar, observar, não a partir de um ponto de vista particular, como

J. Krishnamurti

um bengalês, um hindu ou como um europeu, um russo, um chinês ou um americano. Iremos olhar o porquê de o homem ter se tornado o que é – cruel, destrutivo, violento, idealista e realizador de coisas impressionantes no mundo da tecnologia, das quais a maioria de nós não está consciente; olhar o porquê realmente, depois de milhares de anos de guerras, de derramamento de lágrimas, de o ser humano estar se comportando dessa maneira. Estamos, pois, pensando juntos, não concordando, nem aceitando, nem resistindo ao que é dito, mas olhando como se olharia para um mapa, observando exatamente o que está acontecendo. O homem dividiu o mundo em nacionalidades; ele dividiu o mundo em católico, protestante, hindu, muçulmano e assim por diante. Aonde há divisão, como árabe e judeu, hindu e muçulmano, e assim por diante, deve haver conflito. Esta é uma lei natural, que é o que está realmente acontecendo no mundo. Por que há esta divisão? Quem fez isso surgir?

Eu espero que estejamos pensando juntos, vocês e o orador. Vocês não o estão apenas, simplesmente aceitando ou rejeitando o que ele está dizendo. Este é seu problema, o problema da humanidade. Como somos seres humanos, devemos considerar todas estas questões. Devemos duvidar, investigar, nunca aceitar o que as autori-

A Mente Imensurável

dades ou os gurus ou os livros sagrados dizem – incluindo o orador. Se você meramente aceitar ou rejeitar, você permanecerá onde está, sem trazer uma mutação radical em toda a psique, em todo o conteúdo da consciência. Portanto, se muito respeitosamente pode-se dizer, pensemos juntos, por favor. Estamos seguindo uma trilha, não as trilhas de Calcutá, mas um lugar agradável, quieto e arborizado, com ar limpo, e conversando como dois amigos sobre os problemas que, como seres humanos, enfrentamos e os problemas da humanidade. Então estamos conversando, estamos escutando um ao outro. É um diálogo entre você e o orador. Diálogo significa uma conversa entre duas pessoas. Como há uma audiência tão numerosa, isto não é possível, mas podemos falar um ao outro, embora haja mil ou duas mil pessoas.

Por que o homem se tornou o que é? Apesar de grande experiência, apesar de grande conhecimento, apesar de vasto avanço tecnológico, por que permanecemos mais ou menos o que temos sido por quarenta mil anos? Por quê? Seria porque nossa mente, nosso cérebro, está programado como um computador? O computador é programado pelos profissionais, e pode repetir talvez muito mais prontamente do que o homem, fornecendo informações mais rapidamente e de quantidade infinita. Seria porque todo ser humano neste planeta foi programado para ser um bengalês, um muçulmano, um hindu e assim por diante? Será, pois, que seu cérebro é programado para pensar de um modo convencional, estreito, limitado? O seu cérebro, dentro do crânio, é limitado? Ele tem a capacidade para extraordinárias inventividades, extraordinários avanços tecnológicos. Talvez a maioria de nós não saiba o que está realmente acontecendo no mundo da biologia, no mundo tecnológico, no mundo da guerra, porque muitos de nós estamos ocupados com nossa vida diária, com nossos próprios problemas particulares, com nossas próprias satisfações. Então geralmente esquecemos o grande avanço que a humanidade está fazendo em uma direção, num mundo tecnológico, negligenciando totalmente, completamente, o mundo psicológico, o mundo do comportamento humano, o mundo da consciência. Portanto, descobriremos as causas de tudo isto: por que os seres humanos têm sido programados, como os cristãos por dois mil anos, acreditando em certas doutrinas, afirmando que existe apenas um salvador; como os muçulmanos pelos últimos mil anos ou mais, crendo em certos princípios; e como os hindus talvez pelos últimos três a cinco mil anos.

A Mente Imensurável

Nossos cérebros estão, pois, condicionados. Eu tenho curiosidade em saber se alguma vez percebemos como nossos cérebros estão agindo, pensando, olhando. Nossos cérebros estão condicionados a ser isto ou aquilo, a se comportar de uma certa maneira, desfrutar, a sofrer, a ter a grande carga de medo, incerteza, confusão, e o derradeiro medo da morte. Estamos condicionados a isso. E existe todo um grupo de pessoas – eruditos, professores, escritores e os comunistas com seu guru, Marx – que dizem que o cérebro humano será sempre condicionado e que nunca pode ser livre. Eles dizem que você pode modificar esse condicionamento por influência do ambiente, pela lei e assim por diante; que sempre pode ser modificado, alterado aqui e ali, mas realmente nunca pode ser livre. Por favor, compreendam a implicação disso. Deste modo, os governos totalitários estão controlando o pensamento humano, e não permitem que as pessoas pensem livremente; e se o fazem, são enviados às enfermarias psiquiátricas, aos campos de concentração. Portanto, é muito importante que vocês descubram se o cérebro humano, que tem sido condicionado pela experiência, pelo conhecimento, pode ser livre de modo que não tenha medo, nem condicionamento. Onde há condicionamento, deve haver conflito, porque todo condicionamento é limitado.

J. Krishnamurti

Por favor, sejam suficientemente hábeis para prestar atenção ao que está sendo dito, pois isto é sua vida, não a vida do orador. Isto é a sua existência diária, conflituosa, confusa, com toda a sua tristeza, dor e agonia. Ao conversarmos, você está consciente de seu próprio pensar, suas próprias reações, suas próprias respostas, como elas são limitadas, como são condicionadas, como você depende do conhecimento do passado, como sua vida, portanto, se torna estreita, confusa, e como há o medo da insegurança. Se você está consciente de toda a sua atividade interna, seus pensamentos, seus sentimentos e suas reações, você descobrirá por si mesmo quão condicionado é, quão limitado é. E quando você reconhece este fato, você percebe as consequências deste condicionamento, desta limitação. Onde quer que haja limitação, como um hindu, como um muçulmano, deve haver conflito. Sempre que há uma divisão entre marido e esposa, deve haver conflito. E os seres humanos pelo mundo, depois de toda esta evolução, ainda estão em conflito uns com os outros.

Considerem, então, tudo isso, porque estamos preocupados com nossas vidas como seres humanos. Esta vida, nossa vida diária, se tornou extraordinariamente complexa, perigosa, difícil, incerta. O futuro do homem

A Mente Imensurável

está realmente em risco. Isso não é uma ameaça, isso não é um ponto de vista pessimista. A crise não é apenas física; a crise está na consciência, em nosso ser. Portanto, ao conversarmos, torne-se consciente de tudo isso. Ao se tornar consciente, você começa a descobrir, começa a encontrar por si mesmo como sua vida se tornou tamanha dor, com tão grande ansiedade e incerteza. Se você estiver assim consciente, poderá então prosseguir adiante com profundidade. Mas se você meramente ouve as palavras, isso tem muito pouco significado. As palavras têm um certo significado, mas ao viver de palavras, de símbolos, de mitos, como faz a maioria das pessoas, então a vida se torna cada vez mais difícil, cada vez mais perigosa para todos. Portanto, por favor, seja suficientemente hábil para escutar, para descobrir, para perguntar, para duvidar, de modo que seu cérebro se torne consciente de si mesmo.

Estamos, pois, perguntando por que os seres humanos, que desenvolveram a mais esplêndida tecnologia que o mundo jamais tinha visto – comunicação fácil, eletricidade, saneamento e assim por diante –, permaneceu psicologicamente, internamente, mais ou menos o mesmo pelos últimos quarenta mil anos. Eu me pergunto se vocês percebem isso. Nós temos sistemas, temos ideais,

J. Krishnamurti

temos todos os assim chamados "livros sagrados", que não são sagrados de modo algum, mas apenas palavras. Mas por que os seres humanos não produziram uma mudança radical, uma revolução psicológica? Investigaremos isso e se é possível realizar uma mutação total nas próprias células do cérebro. Espero que esteja claro que estamos falando sobre a condição humana, e se esta condição pode ser radicalmente alterada, se podemos efetuar nela uma mutação. Não uma transformação; transformar significa mudar de uma forma para outra. Mas nós estamos falando sobre uma mudança radical no comportamento humano, de modo que ele não seja terrivelmente autocentrado como é, o que está causando tamanha destruição no mundo.

Se você é cônscio – espera-se que você seja cônscio – de sua condição, então podemos começar a perguntar se este condicionamento pode ser totalmente alterado de modo que o homem seja completamente livre. Ele pensa que é livre agora para fazer o que lhe apraz. Cada indivíduo pensa que pode fazer o que lhe interessa. E esta liberdade é baseada na escolha, pois ele pode escolher aonde viver, que tipo de trabalho fazer, escolher entre esta ideia e aquela ideia, este ideal ou aquele ideal, mudar de um deus para outro deus, de um guru para outro,

A Mente Imensurável

de um filósofo para outro. Esta capacidade de escolher evoca o conceito de liberdade. No Estado totalitário, não há liberdade; você não pode fazer o que quer porque é totalmente controlado. Mas escolha não é liberdade. Escolher é meramente o movimento no mesmo campo, de um canto a outro. Sendo nosso cérebro limitado, estamos perguntando se é possível para ele libertar-se de modo que não haja medo, medo algum. Então haverá reto relacionamento com os outros, com todos os vizinhos no mundo.

Vamos investigar a natureza da consciência. Sua consciência é o que você é – suas crenças, seus ideais, seus deuses, suas concepções românticas, mitos, sua violência, medo, prazer, tristeza, o medo da morte, e a permanente questão do homem, desde tempos imemoriais, sobre se há algo sagrado além de tudo isso. Isso é a sua consciência, isso é o que você é. Você não difere de sua consciência. Estamos, pois, perguntando se o conteúdo desta consciência pode ser transformado, totalmente modificado.

Primeiramente, sua consciência não é sua. Sua consciência é a consciência de toda a humanidade, porque o que você pensa, suas crenças, seus deuses, suas sensações, suas reações, sua dor, sua tristeza, sua insegurança e assim por diante são partilhadas por toda a humani-

J. Krishnamurti

dade. Vá para a América, Inglaterra, Europa, Rússia ou China, e você verá seres humanos sofrendo. Eles estão temerosos da morte; eles têm crenças, eles têm ideais. Eles podem falar uma língua particular, mas o pensar, os sentimentos, as reações, as respostas geralmente são partilhadas por todos os seres humanos. Isso é um fato, não uma mera invenção ou especulação do orador. É um fato que você sofre, que seu vizinho sofre. Este vizinho pode estar a milhares de milhas de distância, mas ele sofre, é inseguro, como você. Ele pode ter muito dinheiro, mas internamente há insegurança. Um homem rico na América ou um homem no poder passam por essa dor, ansiedade, solidão, desespero. Portanto, sua consciência não é sua, do mesmo modo que seu pensamento não é seu. Não é pensamento individual. Pensar é comum, é geral, do homem mais pobre, menos instruído, sem sofisticação, que vive em uma pequena vila, ao cérebro mais sofisticado, os grandes cientistas; todos eles pensam. Eles podem pensar de maneira diferente, seu pensamento pode ser mais complexo, mas pensar é generalizado, é partilhado por todos os seres humanos. Portanto, não é seu pensamento individual.

    É bastante difícil ver e reconhecer a verdade disso, porque vocês estão condicionados como indivíduos.

A Mente Imensurável

Todos os seus livros religiosos, sejam cristãos ou muçulmanos, sustentam e nutrem esta ideia, este conceito de um indivíduo. Vocês devem questionar isso, devem descobrir a verdade do assunto. Estamos investigando, e vemos que todos os seres humanos no mundo, não importa se são miseráveis, inferiores na estrutura da sociedade, grandes filósofos, grandes cientistas, todos pensam. A consciência humana é semelhante, é partilhada por todos os seres humanos. Portanto, não há indivíduo. Ele pode ser mais educado, pode ser mais alto, pode ser mais baixo; na aparência, por assim dizer, ele pode ser diferente. Mas internamente, ele partilha o solo de toda a humanidade. Isso é um fato, se examiná-lo de perto. Mas se tem medo, se está aprisionado no condicionamento de ser um indivíduo, nunca compreenderá o fato imenso e extraordinário de que você é toda a humanidade. Daí existe amor, compaixão, inteligência. Mas se você está condicionado à ideia de que você é um indivíduo, então terá complicações intermináveis, porque esta ideia está baseada na ilusão, não no fato. Pode ser uma ilusão de milhares de anos, mas ainda é uma ilusão.

Você é o resultado de seu ambiente, você é o resultado da língua que fala, da comida que come, das roupas, do clima, da tradição mantida de geração a geração;

J. Krishnamurti

você é tudo isso. Você é o produto da sociedade que criou. A sociedade não é diferente de você. O homem criou a sociedade, uma sociedade de ambição, inveja, ódio, brutalidade, violência, guerras. Ele criou tudo isso, e também criou o extraordinário mundo da tecnologia. Assim, você é o mundo, e o mundo é você. Sua consciência não é sua; é o solo que todos os seres humanos partilham. Portanto, você não é realmente um indivíduo. Esta é uma das realidades, das verdades, que você deve compreender. Não aceite o que o orador está dizendo, mas questione seu próprio isolamento, porque "indivíduo" significa "isolamento". Um se separa do outro, nações se isolam como indianos de tudo o que excede a isso. E eles pensam que no isolamento há segurança; não há segurança no isolamento. Mas os governos do mundo, representando os seres humanos de cada país, estão mantendo este isolamento e, consequentemente, perpetuando as guerras.

    Se você reconhecer a verdade, o fato, de que não é um indivíduo, de que internamente não há divisão, de que todos partilhamos os mesmos problemas, então o problema é: como um ser humano que representa toda a humanidade, você pode realizar uma revolução psicológica fundamental? Você pode perguntar, "Se eu, como um ser humano, mudar, isso afetará de algum modo o resto da humanidade?" Esta é a questão usual: "Eu posso mudar, eu posso realizar uma mutação radical na mente, mas se eu de fato mudo, se há uma mudança em uma pessoa particular, como isso afetará o todo da consciência da humanidade?" Por favor, coloquem esta questão a si mesmos. Como um ser humano isolado – o que você não é, mesmo que pense sê-lo –, você está perguntando, "Se eu mudar, que efeito isso terá no mundo?"Estão realizando experimentos no mundo científico que alguns de vocês podem ter ouvido a respeito. Estávamos falando com uma destas pessoas que estão fazendo experiências com, digamos, um grupo de ratos em um local particular, em Londres. Uma geração de ratos aprende uma lição particular bem vagarosamente. Mas a geração seguinte a aprende bem mais rapidamente. Isso não é transferência genética, não é ação genética. A última geração aprende a lição bem mais rapidamente, em poucos dias. Agora eles estão fazendo o mesmo experimento na Austrália, na América e em outros lugares. Aqueles ratos que aprenderam bem mais rápido em Londres afetam toda a consciência dos ratos. Uma geração de ratos aprende uma lição bem lentamente. A geração seguinte aprende um pouco mais rápido e assim por diante. A última ge-

J. Krishnamurti

ração, digamos, a vigésima quinta, aprende a lição em algumas horas. Então, o que eles aprenderam em poucas horas é transmitido para todos os ratos no mundo. Isso não é transferência genética, mas uma consciência grupal sendo afetada.

Portanto, se você mudar fundamentalmente, você afeta toda a consciência do homem. Napoleão afetou toda a consciência da Europa. Stalin afetou toda a consciência da Rússia. O Salvador cristão afetou a consciência do mundo, e os hindus, com seus deuses peculiares, afetaram a consciência do mundo. Desse modo, quando você, como um ser humano, transforma psicologicamente a si mesmo de forma radical, ou seja, quando se liberta do medo, tem um relacionamento correto com os outros, põe fim à tristeza e assim por diante, o que é uma transformação radical, então você afeta toda a consciência do homem. Assim, isso não é uma atividade individual, não é uma atividade egoísta. Não é salvação individual; é a salvação de todos os seres humanos.

Primeiramente, devemos investigar o que é relacionamento, por que nas relações humanas há tal conflito, tal miséria, tal intenso sentimento de solidão. Nós questionaremos isso. Questionar significa investigar os nossos relacionamentos, inquiri-los, duvidar deles, o re-

A Mente Imensurável

lacionamento entre homem e mulher, entre o vizinho próximo e o distante. Por que há tal conflito? Ao longo da história, os seres humanos têm vivido em conflito uns com os outros. Mas existência é relacionamento. Sem relacionamento você não pode existir. Na existência há conflito. Mas o relacionamento é absolutamente necessário. Vida é relacionamento, ação é relacionamento; o que você pensa cria um relacionamento ou o destrói. O ermitão, o monge e o *sannyasi* podem pensar que são separados, mas eles estão em relação – com o passado, com o ambiente, com o homem que lhes traz alguns grãos, algum alimento, algumas roupas. Assim, vida é relacionamento. Sem tal interação no relacionamento, não há existência.

Desta forma, vamos explorar por que os seres humanos vivem em conflito uns com os outros, por que há conflito entre você e seu esposo ou esposa. Por quê? Por favor, faça essa pergunta a você mesmo. Ainda que seja o orador quem coloca a questão, de fato são vocês que estão questionando. Descubram. Pois quando há conflito no relacionamento, não há amor, não há compaixão, não há inteligência. Nós verificaremos as palavras "inteligência", "compaixão" e "amor". Mas estamos querendo saber se neste país, assim como em outros, de fato existe amor.

J. Krishnamurti

Você está realmente se relacionando? Certamente há relações consanguíneas e assim por diante. Você pode estar se relacionando com um homem, uma mulher, sexualmente, mas além disso, você está se relacionando com alguém? Relacionamento significa não isolamento. Ocorre que o homem vai ao escritório todos os dias de sua vida, ou a uma fábrica, ou a outra forma de ocupação, saindo de casa às 9 ou às 6 horas, e passa o dia todo trabalhando; trabalha por 50, 60 anos, e então morre. Ali ele é ambicioso, ávido, invejoso, lutador, competitivo. A esposa é também competitiva, ciumenta, ansiosa, ambiciosa, seguindo seu próprio caminho. Eles podem se encontrar para o sexo, para conversar, cuidar um do outro, ter filhos, mas eles permanecem separados tal como duas linhas ferroviárias que nunca se encontram. E é o que chamamos de relacionamento. Isso é uma realidade; não é invenção do orador, nem sua opinião ou conclusão. Isso é um fato na vida de todas as pessoas – a dissensão entre duas pessoas, cada um preso às suas opiniões, às suas conclusões. A palavra "conclusão" significa pôr um fim a um argumento. Eu concluo que Deus existe; assim sendo, eu finalizei o argumento, eu concluí. Mas, por favor, não conclua, pois isso é chegar ao fim de um argumento. Não estamos tirando

A Mente Imensurável

conclusões; estamos observando o fato. E o fato é que sempre há conflito, ainda que um relacionamento seja bem íntimo – um dominando o outro, um possuindo o outro, um tendo ciúme do outro. É a isso que chamamos de relacionamento. Neste momento, o relacionamento que conhecemos pode ser agora totalmente mudado? Pergunte a você mesmo.

Por que há conflito entre dois seres humanos, sejam altamente instruídos ou sem instrução alguma? Eles podem ser grandes cientistas, mas são seres humanos comuns, como você ou qualquer outro, lutando, brigando, sendo ambiciosos. Por que existe este estado? Será porque cada pessoa está preocupada consigo mesma? Assim ela está se isolando. No isolamento, você não pode ter um reto relacionamento. Isso é muito óbvio. Você ouve isso, mas não irá fazer nada a esse respeito porque você caiu num hábito, numa rotina, na estreiteza, numa pequena vida limitada, e você tolera isso, embora seja uma vida miserável, infeliz, conflituosa e feia. Então, por favor, questione se é possível viver com o outro em completa harmonia, sem nenhuma dissensão, sem qualquer divisão.

Se você realmente questionar, profundamente, você verificará que criou uma imagem de sua esposa, e ela criou uma imagem de você. Esta imagem é o retrato do viver juntos por vinte anos, as zangas, as palavras cruéis, a indiferença, a falta de consideração e assim por diante. Cada qual fez uma imagem do outro, um retrato do outro. Essas duas figuras, essas imagens e palavras estão em relacionamento uma com a outra. Assim, onde há uma imagem do outro, um retrato do outro, deve haver conflito. E tenho certeza de que todos vocês têm uma imagem do orador. Por quê? Vocês não conhecem o orador. Vocês não podem conhecer o orador, assim como não conhecem o seu esposo ou esposa, mas vocês criaram uma imagem a seu respeito – que ele é religioso ou não, ele é obtuso ou muito inteligente, ele é bonito, ele é isto, ele é aquilo. Com esta imagem você olha para a pessoa. A imagem não é a pessoa; a imagem é a reputação, e reputações são facilmente criadas; elas podem ser boas ou más. O cérebro humano, o pensamento, cria a imagem. A imagem é a conclusão, e vivemos de imagens.A imagem, a construção de figuras, não tem lugar algum no amor. Nós não amamos uns aos outros. Podemos dar as mãos, podemos dormir juntos, podemos fazer dez coisas diferentes juntos, mas não temos amor um pelo outro. Se tivéssemos esta qualidade, este perfume do amor, não haveria guerras.

A Mente Imensurável

Não haveria hindus, muçulmanos, judeus ou árabes. Vocês escutam tudo isso, mas permanecem ainda com as suas imagens. Vocês continuam disputando um com o outro, discutindo um com o outro. Sua vida se tornou tão notavelmente sem sentido. Eu me pergunto quantos de vocês percebem isso.

Vocês são estruturados pelo pensamento. Seus deuses são estruturados pelo pensamento. Todos os rituais, todos os dogmas e filosofias são estruturados pelo pensamento, e o pensamento não é sagrado. O pensamento é sempre limitado. O pensamento criou a imagem de você como esposa ou esposo, indiano ou americano, e assim por diante. Essas imagens, que são irreais, dividem a humanidade. Se você nunca se denomina um indiano, e eu nunca me denomino um russo ou americano, porque somos todos seres humanos, então não teremos guerras. Nós teríamos um governo global, um relacionamento global. Mas vocês não estão interessados em tudo isso. Vocês permanecem medíocres – perdoem-me por usar esta palavra. A palavra "medíocre" significa subir até a metade da colina, nunca chegando ao topo – psicologicamente, não no mundo dos negócios ou no mundo tecnológico.

Vocês ouvem tudo isso, mas se não mudarem radicalmente, estarão trazendo a destruição para a

J. Krishnamurti

próxima geração. Então, por favor, escutem, pensem, atentem para o que está do lado de fora de vocês e também para o que está acontecendo internamente, o que é muito mais importante. Pois a psique interna concorre com o ambiente exterior, como vocês veem na Rússia. Damos tanta importância ao externo. Devemos ter uma sociedade reta, retas leis, alimentar os pobres, nos preocupar com os pobres; não estamos dizendo que não deva ser assim, mas o pensamento, o sentimento e o isolamento interno estão separando os homens. E vocês são responsáveis por isso, cada um de vocês é responsável por isso. A menos que vocês mudem fundamentalmente, interiormente, o futuro será muito perigoso. Estão se preparando para uma guerra nuclear, o que significa que se uma bomba de nêutron cair sobre Nova Iorque, dez milhões de pessoas serão vaporizadas. Elas desapareceriam completamente da Terra. Os que restassem estariam feridos, seus olhos se dissolveriam, e haveria apenas um médico para dez milhões de pessoas. Eles estão se preparando para isso – inclusive este país. E vocês são responsáveis por tudo isso. Se vocês realizarem fundamentalmente uma mudança em suas vidas diárias, se tiverem retos relacionamentos uns com os outros, viverem corretamente, não sendo ambiciosos e assim por diante, somente aí está a possibilidade de dar um fim ao conflito entre os seres humanos.

Calcutá, 20 de novembro de 1982.

O Movimento do Vir a Ser

Estávamos dizendo que esta é uma conversação entre nós, não uma palestra. Uma palestra é um discurso sobre um tema específico com intenção de lhes dar informação, mas isto não é uma palestra. Estamos conversando amigavelmente, observando o que está acontecendo não apenas no mundo, externamente, fora de nós, mas também ao homem internamente, psicologicamente. E enquanto se observa o mundo exterior, percebe-se cada vez mais caos em praticamente todos os países. Neste país, isto é bem óbvio; é flagrante, palpável. Há incerteza, distúrbio, falta de credibilidade política; sabendo que políticos pelo mundo todo estão fazendo as coisas bem pior; sabendo que as religiões pelo mundo perderam todo o seu significado; vendo tudo isso, exitem aqueles que denominam a si próprios fundamentalistas e que se voltam à Bíblia ou ao Alcorão ou às várias escrituras, pensando que, se seguirem estes livros, haverá menos caos. Isto é o que está acontecendo em todo o mundo – voltando ao passado, atendo-se a certas crenças, tradições, acreditando que estes livros são incorruptíveis, que eles falam a verdade e assim por diante. A maioria

A Mente Imensurável

de nós está fazendo isso de um jeito ou de outro. Em um mundo que é muito caótico, muito conturbado, perigoso e que se prepara para a guerra, naturalmente desejamos algum tipo de segurança, fora ou dentro de nós.

Não há muita segurança no mundo externo. Você pode ser muito rico, pode ser muito poderoso politicamente, ou pode ser um desses gurus que estão fazendo muito dinheiro. Ou você pode achar segurança em algum dogma, em alguma crença. Mas em nada disso há segurança absoluta. O homem quer segurança. Devemos todos ter segurança, com relação à alimentação, ao vestuário e abrigo. Mas queremos também segurança internamente, algo que nos dê certeza, estabilidade, um senso de força. Porém, aí também não há segurança – em qualquer crença, em qualquer dogma, em qualquer ideal. Por não acharmos segurança em nada disso, nós nos volvemos ao passado, e esperamos assim encontrar alguma luz, algum tipo de literatura, citações, para nos apegarmos.

Não sei se vocês notaram que costumam se apegar a algum tipo de conclusão – conclusões razoáveis, lógicas, ou a conclusões de certas autoridades –, e onde há conclusão, deve haver falta de energia. Quando você chega a uma conclusão, o que significa que, depois de discutir, argumentar, você alcança um ponto em que pensa estar certo, você fecha a porta para futuras investigações. Isto é o que está acontecendo no mundo. Todos queremos conclusões – seja que existe Deus, seja que haverá alguma paz e assim por diante –, o que significa encerrar vários argumentos, sugestões, ideias. Então, quando obtemos estas conclusões, tendemos a perder energia porque fechamos a porta a investigações futuras, a futuras explorações. Talvez seja isso que esteja acontecendo neste país e no mundo todo. Isto é, na ausência de segurança interna e externa, segurança no sentido de algo ao qual possamos confiar totalmente, do qual possamos depender, que nos dará conforto e um senso de bem-estar, nos apegamos a algumas conclusões tradicionais e, portanto, perdemos aquela energia criativa da investigação. Investigar significa penetrar, inquirir, explorar, abrir a porta, descobrir além. Mas a maioria de nós não tem essa energia, esse impulso, e retrocedemos para alguma coisa que chamamos de tradição ou para algum livro ou outra coisa.

    Nestas conversas, não forneceremos fórmula alguma, nem qualquer panaceia ou senso de certeza. Mas juntos, você e o orador, estamos tendo uma conversa amigável e explorando, de modo que liberemos nossa

A Mente Imensurável

própria energia e não dependamos de ninguém, de nenhum livro, de qualquer pessoa, ideia ou crença. Parece ao orador que não estamos liberando a energia criativa necessária para trazer uma nova cultura, um novo modo de vida; porque a antiga cultura bramânica deste país desapareceu completamente – uma cultura que não estamos dizendo que era boa ou má, uma cultura que existiu por talvez três a cinco mil anos e desapareceu completamente do dia para a noite, desapareceu de todo. Pode-se perguntar por que uma cultura particular, na qual seres humanos viveram por tanto tempo, desapareceu. Talvez não fosse uma cultura de modo algum; seria apenas uma série de palavras, tradições, sem nenhuma vida por trás. Portanto, ao explorar a condição de nossa mente e coração, ao investigar a natureza do cérebro, que é o centro de todas as nossas ações, de todos os nossos sentimentos, de todo o pensamento, devemos ver se é possível para cada um de nós, cercados como estamos por caos, incerteza e perigo, liberar essa energia criativa.

Existe uma arte de escutar, e existe uma arte de aprender. A maior parte de nosso aprendizado é a acumulação de conhecimento; sem conhecer matemática, biologia ou física, gradualmente nós acumulamos uma grande quantidade de informação e a armazenamos no cérebro, o

J. Krishnamurti

que se torna nosso conhecimento. Isso é o que fazemos, e isso é o que chamamos de aprendizado: acumular muito conhecimento sobre vários assuntos, como um engenheiro, como um astrônomo e um político. Acumulamos conhecimento para agir habilmente no mundo, como um carpinteiro, como um maçom, como um médico. Acumulamos conhecimento a partir do qual agimos habilmente ou não, eficientemente ou não. Devemos, pois, investigar o que é o conhecimento, que lugar o conhecimento tem em nossas relações uns com os outros. Por favor, estamos investigando isso. Não apenas escutem o orador. Se vocês escutam casualmente as palavras que o orador está usando, isso se torna muito raso, vazio. Vocês já estão preenchidos pelo conhecimento de outras pessoas. Mas nunca perguntaram qual é o lugar do conhecimento na vida, além de terem uma ocupação, de se tornarem bons médicos, cientistas, engenheiros, etc. Estamos fazendo uma pergunta muito séria, que é: que lugar o conhecimento tem nas relações humanas?

O conhecimento está sempre no passado. Não existe conhecimento futuro. O conhecimento implica o processo do tempo, como o passado. O conhecimento, tanto no mundo científico como na existência humana, é baseado na experiência. Esta experiência foi reunida por

A Mente Imensurável

milhões de anos ou pelos últimos trezentos anos pelos cientistas, e este conhecimento é usado para acumular conhecimento futuro, para posterior exploração. Mas o conhecimento está sempre no passado; não há dúvidas sobre isso. Não há conhecimento completo sobre qualquer coisa. Isto é um fato. O conhecimento é armazenado no cérebro como memória, e a resposta desta memória é pensamento. Ou seja, a experiência, seja herdada ou acumulada no presente, se torna conhecimento. E este conhecimento é memória, que é o passado; e a partir desta memória, a reação é pensamento.

O pensamento é sempre limitado. Pode-se ter acumulado, digamos, conhecimento científico. Este conhecimento vem sendo adicionado o tempo todo – eles estão descobrindo cada vez mais. Portanto, o conhecimento científico nunca está completo. O pensamento, o que quer que faça, é limitado. Talvez alguns de vocês venham a rejeitar isso. Mas se vocês, por gentileza, investigarem, se olharem para isso, não tomem uma posição definida, mas reflitam. Estamos dizendo categórica e definitivamente que o conhecimento é limitado. Porque não há conhecimento completo sobre qualquer coisa, o conhecimento sempre segue na sombra da ignorância. E todo pensamento nascido do conhecimento deve inevitavelmente ser fragmentado, limitado, finito. O pensamento pode inventar algo imensurável, algo infinito, mas ainda é o movimento do pensamento. Pode-se inventar Deus porque se sente que Deus é necessário para nosso conforto, para nossa segurança, mas este Deus é o produto do pensamento, que é limitado.

Devemos estar bem cientes neste ponto. Não que vocês devam concordar com o orador, mas ver por si mesmos o fato, a verdade, que o pensamento, sob todas as circunstâncias, seja ele o pensamento dos cientistas ou dos grandes filósofos, é sempre circunscrito, estreito, limitado. O pensamento inventou as nacionalidades e, as tendo criado, traz divisões entre pessoas – o muçulmano e o hindu, o judeu e o árabe, o comunista, o socialista, o capitalista e assim por diante. O pensamento inventou tudo isso. Nossa sociedade é corrupta, da mesma forma que nosso país. Não que a corrupção não exista em outros países, mas neste país é muito evidente. E esta corrupção é resultado do pensamento. Todos os rituais são produto do pensamento, sejam eles rituais militares ou religiosos; são todos formas de entretenimento inventadas pelo pensamento. E o pensamento criou problemas como a guerra, o conflito, etc. E então o pensamento tenta resolver estes problemas.

A Mente Imensurável

Provavelmente vocês não pensaram sobre tudo isso de modo algum. Vocês apenas aceitaram o pensamento como o único instrumento que o homem possui. E este instrumento criou a devastação no mundo. Um bom carpinteiro, quando descobre que seu instrumento é inútil, joga-o fora e tenta encontrar um novo instrumento. Mas nós não. Vemos que o pensamento criou inúmeros problemas politicamente, religiosamente e entre os seres humanos. Então o pensamento diz, "Eu os resolverei". E nesta solução, você produz mais problemas. Assim, a vida se torna cada vez mais complexa, cada vez mais cheia de problemas, porque você acha que o pensamento é o único instrumento. Mas o pensamento é limitado.

Está claro, não verbalmente, mas realmente claro para vocês? Podemos então perguntar, "Existe um novo instrumento?" Vemos em todo o mundo que mesmo os maiores cientistas estão começando a questionar a natureza do pensamento. O pensamento é um processo material, porque é mantido no cérebro, nas próprias células cerebrais. Portanto, o que o pensamento pensar ou inventar será o resultado de um processo material. Quando o pensamento cria Deus, isso ainda é um processo material. Então o pensamento não é sagrado. Se isso está bem claro, não verbalmente, mas profundamente,

J. Krishnamurti

então podemos perguntar, "Há um novo instrumento?" Não me refiro à consciência superior ou à consciência inferior, porque tudo isso é outra invenção do pensamento. Traga a consciência superior para a consciência inferior – você conhece todo este jogo; ainda é o produto e o processo do pensamento. Iremos, pois, descobrir juntos, se há um novo instrumento totalmente diferente do pensamento, que não tenha sido de forma alguma tocado pelo pensamento. Porque aquilo que o pensamento toca é certamente limitado e, assim sendo, inevitavelmente cria conflito, traz fragmentação, como fez no mundo – fragmentação religiosa, política e assim por diante.

Isso está claro? Se vocês estão meramente aceitando as palavras, não podem ir muito adiante. Mas se estão realmente, profundamente, preocupados com a humanidade, com o que está acontecendo no mundo, com o futuro do homem, ou seja, com o futuro de seus filhos e netos, se vocês são de todo sérios, se têm grande afeição pela humanidade, devem inevitavelmente fazer esta pergunta. Mas, vejam, a maioria de nós não tem a energia para investigar, não tem o impulso, a paixão por descobrir. Então, nos voltamos a Marx ou Lenin, à Bíblia ou ao Alcorão, mas todos estes jamais nos fornecerão a energia para a descoberta do novo instrumento, que é

A Mente Imensurável

tão absolutamente necessário em um mundo que está degenerando dia a dia, destruindo a si mesmo.

Juntos, descobriremos por meio do questionamento da própria natureza do pensamento, duvidando, perguntando, explorando. O pensamento, em qualquer nível, é fragmentário, limitado, finito. Esta limitação condicionou o cérebro. O cérebro tem uma capacidade extraordinária, como pode ser visto no que está acontecendo no mundo tecnológico. Mas esta capacidade tem sido desenvolvida apenas em uma direção, ou seja, no mundo tecnológico – como um médico, cirurgião, matemático, técnico em computador e assim por diante. Mas os problemas humanos, que são nossos intermináveis conflitos uns com os outros, nossa tristeza, dor e angústia, o mundo tecnológico nunca poderá resolver. Nenhum político, nenhum sistema, nenhum método está interessado nisso tudo. Portanto nós, como seres humanos comuns, descobriremos por nós mesmos se há ou não um novo instrumento, que não tenha sido tocado pelo pensamento, que não seja resultado do tempo, que não tenha sido capturado no processo da evolução que é pensamento.

Seguiremos nisso passo a passo, se você desejar, se você é sério. Você deve ser sério. O que não quer dizer que você não deva rir, nem que você deva torturar

J. Krishnamurti

seu corpo como os religiosos advogam. Você precisa ter grande atenção, estado de alerta, capacidade, sensibilidade. Você não deve estar comprometido com qualquer grupo, crença ou dogma. Você precisa ter uma mente que seja realmente global, não uma mente estreita, preocupada com seus próprios pequenos problemas. No maior, o menor desaparece. Na grande humanidade, os pequenos problemas humanos são solucionados. Mas se você tentar resolver os pequenos problemas sem compreender a vasta complexidade do cérebro humano, do coração e da mente, então você nunca solucionará problema algum. Portanto, dê sua atenção para descobrir por si mesmo e não repetir o que o orador diz. O orador não tem qualquer valor. Ele é apenas um telefone, mas o que ele diz pode talvez ter importância. Portanto, por favor, descubra. Você já tentou observar a si mesmo, sua esposa, a árvore do outro lado da rua e o animal que passa, sem a palavra? Alguma vez já tentou olhar para uma árvore sem nomeá-la, sem trazer todas as imagens passadas sobre a árvore, apenas observar a árvore sem a palavra que é pensamento, olhar para ela? Você alguma vez fez isso? Não, claro que não. Alguma vez já olhou para sua esposa ou seu marido ou seu político? Alguma vez já olhou para eles sem a palavra, sem a imagem, sem

A Mente Imensurável

o símbolo? Você olharia para o orador sem a palavra, sem todo o entulho da reputação – que é repugnante, de todo modo –, olharia para ele sem a imagem que construiu dele? Você consegue fazê-lo? Talvez seja mais fácil olhar para o orador deste modo porque ele não conhece você e você não o conhece. Mas você consegue olhar para sua esposa, seu marido, a árvore, o animal, sem a imagem, sem a palavra? Assim, incialmente, esteja desperto, veja se você é capaz de observar, de olhar, sem uma única palavra, sem uma só imagem. Porque, somente então, você despertará sua sensibilidade. Nós não somos sensíveis. Nós não somos sensíveis à sujeira, à imundície, à miséria, à pobreza; nós apenas as aceitamos. A pobreza deste país nunca poderá ser resolvida, jamais será resolvida a não ser que você largue completamente seu nacionalismo. Somente será resolvida quando você tiver compreendido a relação global do homem com o homem; então não haverá fronteiras. Mas você provavelmente não está interessado nisso.

Estamos dizendo que a primeira qualidade essencial nesta investigação, nesta inquirição, é que se deve ser extraordinariamente sensível. Todas as religiões disseram, "Suprima seus sentidos, suprima seus sentimentos, tudo que é seu". E assim, gradualmente, você perdeu a sensibilidade dos sentidos. O orador está dizendo exatamente o contrário. Nós vivemos através dos sentidos. Talvez alguns possam ter desenvolvido um sentido particular. Mas o orador está dizendo, "Desperte todos os seus sentidos ao mais alto grau, de modo que você olhe para o mundo com todos os seus sentidos". Olhar para o mundo com esse imenso sentimento, quando todos os sentidos estão completamente despertos – nisso há um formidável senso de energia e beleza. Na investigação de outro instrumento, a primeira coisa que vemos é que o homem se tornou embotado pela repetição, pela tradição, pela opressão do ambiente, não apenas o ambiente natural, mas o político, o guru, tudo o que está acontecendo ao seu redor. E somos oprimidos por tudo isso. Portanto, perdemos gradualmente toda a sensibilidade, toda a energia para criar. Estamos usando esta palavra "criar" não no sentido de criação de um quadro, um poema, uma obra literária; estamos falando de criação no sentido de trazer algo totalmente novo. E para ter esta capacidade, o impulso, esta beleza, você deve ter grande sensibilidade. Você não conseguirá ter grande sensibilidade se todos os sentidos não estiverem em completo funcionamento, completamente despertos.

A Mente Imensurável

Agora, por que destruímos nossos sentidos? As religiões, o mundo cristão, as escrituras deste país e os líderes religiosos disseram, "Suprima o desejo, suprima seus sentimentos, não olhe para uma mulher, torture a si mesmo, e somente então encontrará Deus ou *Nirvana* ou *Moksha* ou o que quiser; só então será iluminado". O que é um absurdo total. Como você pode destruir o instrumento mais extraordinário que possui? – o corpo, com todos os seus sentidos; o corpo, que é um instrumento extraordinário. Mas estas pessoas dizem, "Suprima o desejo, não ceda ao desejo; mas se você tem desejo, unifique-o com o Salvador, com Krishna", ou qualquer que seja o Deus.

Devemos, portanto, compreender a natureza do desejo. E isso é muito importante na investigação de um novo instrumento, ao percebermos que o velho instrumento, que é o pensamento, não está resolvendo quaisquer dos problemas humanos. Nesta investigação, chegamos a esta coisa chamada "desejo". O que é o desejo? Por que as pessoas disseram, "Suprima isto, negue-o; se não puder, unifique-o com algo maior"? É sempre um problema de esforço. Não estamos advogando a supressão, a anulação, a fuga e tudo o mais. Estamos investigando a natureza do desejo, como o desejo surge, por que estamos aprisionados nele, e por que se tornou tão extraordinariamente poderoso.

O que é o desejo? Você vê um objeto aprazível, um objeto bonito, uma mulher ou um homem bonito; você o deseja, a deseja ou ao objeto. Você vê um belo carro, polido, bem desenhado, e você o toca, entra nele, sente o prazer de possuí-lo, e aí está o desejo. Primeiramente, o objeto cria o desejo, ou o desejo existe independentemente do objeto? O objeto, o carro, cria o desejo, ou o desejo existe e os objetos variam? Não estamos discutindo os objetos do desejo: ser um ministro poderoso ou primeiro ministro, um governador, um executivo ou um violinista talentoso. Estamos investigando a própria estrutura e natureza do desejo. Se compreendermos isso, não verbalmente, mas de fato, então nunca haverá a questão de suprimir o desejo, de controlá-lo. Controlamos, sem jamais compreender quem é o controlador. Controlamos o desejo, controlamos o sexo; somos educados a controlar. Mas, aqui, estamos tentando compreender o desejo, explorá-lo, penetrar nele, e não controlá-lo. Se isso está claro, então podemos partir para a compreensão da verdade do desejo, qual o lugar que ele ocupa na vida, ou se ele não tem lugar algum. Não é possível começarmos com alguma conclusão – isto é,

A Mente Imensurável

seja suprimindo o desejo ou deixando-o correr em ebulição. Mas estamos juntos, vagarosamente, hesitantemente, cuidadosamente explorando o desejo, que é tanto um fator extraordinário na vida como também uma tortura. Estamos perguntando, "O que é o desejo?" Qual é a origem, a fonte, do desejo? Por favor, você está refletindo comigo, não apenas ouvindo a explanação que o orador dará. Você está pensando, participando ativamente nesta busca pela origem do desejo – se o objeto cria o desejo ou se ele é totalmente independente de todos os objetos. É muito importante compreender isso, seguir nisso muito profundamente, para captar o completo movimento do desejo, suas implicações, sua profundeza, sua realidade. Se você não tivesse sentidos, não haveria sensação. A sensação surge quando você vê algo – vê em uma vitrine uma camisa, um roupão, um rádio, o que queira. Você o vê – percepção visual –, então você entra na loja, toca o material, e do toque surge uma sensação. Isso é simples. Você vê o carro, olha suas linhas, o polimento, e pelo toque vem a sensação. Então o que acontece? Você toca aquela camisa, olha para aquele rádio, ou televisão, o que seja, e o próprio tocar, olhar, cria a sensação. Então, se você observar bem de perto, o pensamento diz, "Como seria bom se eu estivesse vestindo aquela camisa ou se eu entrasse naquele carro". Portanto, no momento em que o pensamento cria a imagem vinda da sensação, está a origem do desejo.

Eu vejo uma bela árvore – que não foi criada pelo homem. Ele criou a catedral, o mosteiro, o templo, e todas as coisas que estão lá dentro. Ele criou tudo isso, mas não criou a árvore. Ele não criou a natureza, mas ele está destruindo a natureza. Você vê uma bela árvore e deseja que ela esteja em seu jardim. Você a vê; existe a sensação da sua dignidade, as sombras, a luz nas folhas, o movimento da árvore. A sensação surge, e o pensamento diz, "Como seria bom se eu tivesse aquela árvore em meu jardim". Quando o pensamento cria a imagem daquela árvore em seu jardim, naquele segundo nasce o desejo. É natural ser sensível, ter sensações; de outro modo, você estaria paralisado. Você deve ter sensação, você deve ter sensibilidade em seus dedos, em seus olhos, em seu escutar e olhar, e com esta sensibilidade você olha, vê. E a partir desta visão, de olhar, observar, a sensação inevitavelmente surgirá; de outro modo, você estaria cego, surdo. Agora, quando há a sensação, o pensamento cria uma imagem, e neste momento o desejo nasce. Você acha que isso é assim? Ou irá apenas repetir o que o orador disse? Ou irá retornar à sua tradição e

A Mente Imensurável

dizer, "Devemos suprimir o desejo" ou "O que você está dizendo é absurdo"?

Se você for realmente penetrar nesta questão do desejo, que é tão importante na vida, encontrará por si mesmo a origem, o começo do desejo. A questão, agora, é olhar para um carro, para uma camisa, para uma mulher, para um quadro, ver este surgimento da sensação, e descobrir se o pensamento pode ficar em suspenso, sem criar imediatamente uma imagem, uma imagem de você naquela camisa, naquele carro e assim por diante. Pode haver um espaço entre a sensação e o pensamento que invade essa sensação? Descubra. Isso fará sua mente alerta, observadora.

Devemos também, na investigação de um novo instrumento, descobrir se o homem pode se libertar do medo. Estamos todos com medo de uma coisa ou outra e, por fim, com medo da morte. Estamos todos com medo de alguma coisa, seja do passado ou do futuro, ou do presente, do viver atual, incertos da atividade do viver, o processo do presente. Sempre temos este medo. Você não está com medo? Talvez você não esteja com medo de sua esposa porque você a domina e assim por diante. Mas você pode ter medo do político. Assim, temos este fardo do medo. O homem nunca resolveu este problema; mas fugiu dele. Ele tem vários modos de suprimi-lo, negá-lo, fugir dele, mas nunca resolveu este problema. Aonde existe o medo, surgem atividades temerosas, todo tipo de ações equivocadas. Todo o seu corpo e toda a sua mente se contraem quando existe um perigo real de medo. Portanto, este é um problema que devemos resolver, não teoricamente, mas realmente – ser completamente livres do medo. Isso é possível?

Investigaremos juntos esta questão, não tomando alguma afirmação dogmática, ou dizendo que isso pode ou não ser feito. Estamos examinando a natureza do medo, sua causa, seu início, sua raiz, não os vários ramos do medo, nem as muitas folhas do medo. Estamos tentando descobrir qual é a raiz do medo. Quando a descobrimos, os ramos fenecem, as folhas desaparecem, secam. Então, dê sua atenção a esta questão, se é possível ser totalmente, completamente livre do medo, de modo que quando sair daqui, você sinta-se realmente livre do medo. Isto significa que você deve usar seu cérebro, ser ativo na investigação.

Qual é a causa do medo? Onde existe uma causa, existe sempre o término desta causa. Isso é lógico e natural. Eu posso ter dor, e a causa pode ser câncer; se eu descobrir a causa, provavelmente a dor terminará. Ou

A Mente Imensurável

pode ser terminal: pode me matar. Mas devo descobrir a causa, como todos os bons médicos que querem saber a causa e que investigam a causa através dos sintomas. Não estamos olhando para os sintomas do medo – medo do escuro, medo de seus pais ou avós, medo de seu marido ou esposa, medo do político e assim por diante. Estes são todos sintomas, os objetos do medo. Mas estamos perguntando, "Qual é a raiz disso?"

Primeiramente, estamos perguntando, "A causa do medo é o tempo?" Olhe para isso cuidadosamente; não aceite o que o orador diz, mas questione, duvide disso. A maior causa do medo é o tempo? – tempo como o amanhã, o que pode acontecer amanhã, ou o que aconteceu ontem ou muitos milhares de anos atrás, ou o que pode acontecer agora. Um dos fatores seria o tempo? Posso ter feito algo errado semana passada; o que fiz me causou dor, e espero que isso não se repita. Ou seja, a palavra "espero" implica o futuro. Existe o tempo do relógio, tempo do nascer e pôr do sol, tempo como ontem, hoje e amanhã, tempo como memórias de ontem, experiências, se modificando no presente e seguindo para o futuro. Tudo isso é tempo, tempo físico. Para cobrir a distância daqui até lá, de um ponto a outro, para ir daqui até sua casa requer tempo. Existem, pois, o tempo físico e o as-

J. Krishnamurti

sim chamado "tempo psicológico", o tempo interno. Ou seja, espero que eu obtenha um emprego melhor no fim do ano; espero que eu seja melhor, mais nobre, ou o que seja, em algum momento posterior; espero que eu encontre um homem bom amanhã. Portanto, a palavra "espero" implica tempo. Há ainda a ideia do melhor: "Eu sou isto, mas serei melhor"; "Eu sou violento, mas me tornarei não violento". Este processo de transformação *do que é* em alguma outra coisa é um processo de tempo.

Assim, o tempo é um fator do medo. Estou vivendo, estou cheio de energia, mas alguma coisa, um acidente, pode me matar. Existe sempre a morte. Então há este sentido de tempo, de um intervalo. Este intervalo é traduzido como "melhor", como "espero", como "autodesenvolvimento" e assim por diante. Quero realizar, mas posso não ser capaz. Eu me candidato a um emprego, mas posso não ter a capacidade para aquele emprego. Portanto, o tempo é um dos fatores do medo. Não estamos perguntando como eliminar o tempo; estamos investigando a natureza do medo.

Dessa forma, não seria o pensamento, o processo do pensar, um outro fator do medo? Olhe para isto. Eu acho que posso morrer. Acho que Deus existe, mas você vem e ameaça a minha crença. Então tenho medo.

A Mente Imensurável

Portanto, pensar no incidente do passado, esperar que a dor não retorne, pensar sobre isso e desejar que não aconteça novamente – tudo isso é o movimento do pensamento. Logo, o pensamento e o tempo são a própria raiz do medo. Você não pode parar o tempo; o tempo físico, você não o pode parar. Para aprender uma língua, aprender qualquer técnica, requer tempo. E vemos que o tempo é um dos fatores do medo, assim como o pensamento. Portanto, o pensamento é um movimento, não é? O tempo é um movimento. Existe realmente, de fato, o tempo psicológico de algum modo?

O problema do tempo é muito importante, como o problema do pensamento. Nós vivemos pelo tempo. Todo o nosso conhecimento é baseado no tempo – o esforço de se tornar menos violento, o esforço de se tornar alguma coisa, que é tudo mensuração. Veja, eu sou isto, eu sou o que sou. Isto é *o que é*. Eu sou infeliz, violento, solitário, deprimido, ansioso. Isso é o que eu sou; isso é um fato. Então vem a ideia de que eu devo me tornar algo diferente *do que é*. Este vir a ser é tempo, como requer tempo para um atendente se tornar gerente. Nós trouxemos para o campo da psique este mesmo processo de pensamento, para o campo da consciência, para o campo do sentimento, do pensamento. Você é violento,

J. Krishnamurti

e quando você diz que você se tornará não violento, está permitindo que o tempo interfira. Mas quando você diz, "Eu sou violento, vou compreender isso, olhar para isso, observar isso, penetrar nisso imediatamente, profundamente", não há tempo. Mas se você está tentando se tornar alguma outra coisa, existe o tempo.

Tornar-se, que é mensuração, demanda tempo. Por exemplo, se você se compara com alguém mais inteligente, mais brilhante, esta comparação é mensuração. Se você não se compara, de modo algum, com ninguém, incluindo os seus grandes deuses, santos, gurus e todo o resto disso, então o que acontece? Você é o que você é. Você começa daí. Mas quando você está comparando, tentando se tornar alguma outra coisa, você nunca compreende a si mesmo, o que você é. Portanto, o tempo é um vir a ser, e o vir a ser não é um fato. Ou seja, eu sou violento e digo que devo me tornar não violento. A não violência não é um fato, não tem realidade. Embora se fale muito sobre isso neste país, ela não existe. O que existe é a violência. Se você esquecer a não violência, então você pode lidar com a violência, penetrar nela. E a compreensão da violência pode ser longa ou muito rápida. Sua investigação sobre a violência pode levar tempo porque você é indolente, ou pode dizer, "Vou investigar

A Mente Imensurável

isso amanhã, isso não é importante", e assim por diante. Mas se você está preocupado com a violência e quer compreender a sua profundidade, você a compreenderá instantaneamente.

Portanto, onde existir um vir a ser, haverá o tempo psicológico. Este vir a ser é ilusório. O fato é o que existe, o que você é no momento: sua raiva, suas reações, seus medos. Olhe para eles. Assim, o tempo é um dos principais fatores do medo, e também o pensamento. Você não pode parar o tempo físico. Mas começar a compreender a natureza do tempo interno, o vir a ser e o não vir a ser, e entender o completo movimento do pensamento. Compreenda-o, não o suprima, não o negue, não pergunte, "Como posso controlar o pensamento?" Isso é uma pergunta absurda. Porque, quem é o controlador? O controlador é outra parte do pensamento. Então, se você está realmente, profundamente, preocupado com a natureza do medo e a cessação total do medo psicológico, você deve penetrar a questão do tempo em profundidade e também a natureza e estrutura do pensamento. Mas se você diz, "Por favor, diga-me um método para que eu me livre do medo", então você está colocando uma questão terrivelmente errada, pois a própria questão implica que

J. Krishnamurti

você não compreendeu a si mesmo, você não olhou para si mesmo.

Nós vamos falar sobre a tristeza, o amor, a compaixão, e sobre o que é a religião, qual é a natureza de uma mente religiosa, o que é a meditação, e se existe alguma coisa sagrada além de todo o pensamento. Devemos investigar todos esses assuntos porque tudo isso é a vida. A morte, o conflito, a dor, a tristeza, o prazer, o medo, a meditação, tudo isso é a nossa vida; e para compreendê-la, devemos ter vitalidade, força. Mas você não terá essa energia, se estiver apenas repetindo palavras, ao se ligar a alguma crença, a algumas conclusões; isto destrói toda a energia. Energia implica liberdade – não aquilo que você gosta de fazer, mas liberdade. Somente então você tem extraordinária energia.

Calcutá, 21 de novembro de 1982.

O Término do Sofrimento

Eu gostaria de lembrá-los, se me permitem, que isto não é um entretenimento intelectual. Estamos tratando de nossas vidas diárias, de nossos relacionamentos uns com os outros, e também do que está acontecendo no mundo, o tumulto, a desordem e a falta de cuidado. Portanto, devemos conversar nesta noite por que os seres humanos, que vivem por mais de quarenta mil anos, estão se comportando dessa forma, o que aconteceu com eles, o que aconteceu com cada um de nós para não estarmos levando uma vida ordeira, sadia e equilibrada. Nós criamos esta sociedade, que é imoral, não ética, corrupta, destrutiva. Nós a criamos, cada um de nós contribuiu para isso. E para haver uma mudança radical na estrutura social, temos que começar por nós mesmos, não pela política, não pelo marxismo, nem com qualquer tipo de fuga do presente. Temos que colocar ordem em nossa casa primeiro. Estamos desordenados, violentos, confusos, solitários. Então, conversaremos sobre o que é a ordem, a ordem total, se existe algum tipo de amor, sobre o que é a compaixão, e se o sofrimento dos seres humanos por todo o mundo pode algum dia acabar.

J. Krishnamurti

Estamos, juntos, falando amigavelmente sobre nossos problemas, sem nenhuma resistência, sem concordâncias, mas explorando, investigando, vendo por que temos vidas tão desordeiras e por que aceitamos as coisas como são. Não estamos falando ou advogando uma revolução física. Pelo contrário, tais revoluções nunca produziram uma sociedade boa. Estamos falando sobre o comportamento humano, por que o homem é o que ele é. Não podemos culpar o ambiente, não podemos culpar os políticos ou os cientistas; esta é uma saída muito fácil. Mas o que deve nos preocupar é por que nós, pessoas relativamente inteligentes, instruídas, levamos vidas tão desordeiras.

Nossa questão é: o que é desordem? Uma mente confusa, em uma vida confusa, não pode descobrir o que é a ordem, pois o cérebro está confuso. Estamos incertos, e buscar uma vida ordenada é simplesmente bastante irrefletido e tolo. Portanto, podemos descobrir por nós mesmos o que causa a desordem em nossas vidas e o que traz uma sociedade que é tão completamente desordenada? Deve estar bem claro, desde o início, que nós somos responsáveis pelo o que está acontecendo no mundo. E iremos investigar por que vivemos uma vida tão desordenada, e qual é a nossa responsabilida-

A Mente Imensurável

de no tocante ao que está acontecendo no mundo. O que é desordem? Qual é a natureza e a estrutura da desordem? Há desordem – não há? – onde existe contradição, ao dizer uma coisa e fazer outra totalmente diferente, ao pensar de uma forma e agir de modo contrário. Imagino se somos conscientes disso. Então, há conflito, desordem, quando estamos perseguindo ideais – ideais políticos, ideais religiosos ou nossa própria projeção do que pensamos que deveríamos ser. Existe divergência entre o que está realmente acontecendo e a tentativa de mudar de acordo com um certo padrão, certos ideais, certas atitudes e convicções. Ou seja, onde há divergência entre o que está realmente acontecendo conosco e a negligência disso e perseguição por um ideal, aí está uma das causas da desordem. Outra causa é buscar autoridade no lado interno, psicológico, da vida – a autoridade de um livro, a autoridade de um guru, a autoridade das assim chamadas "pessoas espiritualizadas". Nós aceitamos muito facilmente a autoridade em nossa vida interna. Obviamente, temos que aceitar a autoridade do cientista, do tecnocrata, do médico, do cirurgião. Mas internamente, psicologicamente, por que aceitamos qualquer autoridade? Esta é uma pergunta importante a se fazer. Voltaremos para isso.

J. Krishnamurti

Estamos perguntando, "Quais são as causas da desordem?" Dissemos que perseguir um ideal é desordem, aceitar a autoridade de outro no mundo do espírito, no mundo da mente, no estado psicológico, interno, é desordem. E uma das outras causas da desordem é esta tentativa constante de se tornar alguma coisa internamente. Talvez estas e outras causas tragam a desordem. Portanto, iremos investigar cada uma delas.

Por que temos ideais? Há ideais políticos; e no mundo comunista os teóricos traduzem Marx ou Lenin de acordo com suas inclinações, seus estudos, suas pesquisas históricas. Estamos, pois, perguntando, "Por que temos ideais?" E o que é um ideal? Originalmente, o significado básico da palavra "ideia" era "observar, ver, olhar". Mas a traduzimos como a projeção de um conceito particular, trazido pelo pensamento, e isto é o ideal. O ideal se tornou importante, e a busca por este ideal se torna exaustiva quando você negligencia totalmente "o que é". Mas "o que é" é o que importa, não o ideal. Estamos usando a expressão "o que é" no sentido do que está realmente acontecendo, tanto externa como internamente. Quando somos violentos, como a maioria dos seres humanos é, ter um ideal de não violência não tem realidade, não tem validade. O que tem validade,

A Mente Imensurável

realidade, é o fato de que somos violentos e de lidar com esta violência não em termos de ideais e padrões, mas compreendendo a causa ou as causas da violência. Talvez, neste país, a busca por não violência, que é uma ilusão, nos privou de nossa energia para olhar o que está acontecendo realmente.

Nós nunca olhamos para "o que é". Nós queremos mudar o que está acontecendo para alguma outra coisa. Este tem sido o processo por séculos após séculos. Os ideais políticos, os ideais religiosos, os ideais criados para si mesmo, o fim, o objetivo, todos se tornaram extraordinariamente importantes, e não o que está realmente acontecendo. Ou seja, "o que é" está sendo transformado em "o que deveria ser". Portanto, há luta, há desordem. Enquanto que, se compreendermos, dermos nossa atenção a "o que é", sendo "o que é" violência, ódio, antagonismo, brutalidade, então poderemos lidar com ele. Estamos dizendo que um dos maiores fatores em nossa vida é tentar transformar ou mudar "o que é" em "o que deveria ser". "O que deveria ser" é totalmente irreal. "O que é" é de toda importância: se eu sou ambicioso, eu investigo a natureza da ambição – se a ambição pode realmente ter um término ou se ela deve continuar. Mas ter o ideal de não ambição parece tão sem sentido, e ainda assim somos levados a isso. Portanto, ver a natureza ilusória de "o que deveria ser" é o começo da inteligência.

Então, há divergência em nós, há dualidade, oposição. Mas, de algum modo, existe oposição? Existem opostos como luz e escuridão, alto e baixo – diferenças externas. Mas, basicamente, haverá um oposto à ambição, à violência? Ou seja, no mundo da psique, psicologicamente, no mundo do espírito, de algum modo, existem opostos? Nós dizemos que há – o bom e o mau, o bem e o mal. Eu não sei se vocês viram as várias cavernas na Europa onde, há trinta mil ou quarenta mil anos, os seres humanos reproduziram este problema em suas pinturas: o problema do mal, em várias formas, de um lado e o bem do outro, e a batalha entre os dois. Agora, estamos perguntando, "Existe um oposto de algum modo, internamente, independentemente ao físico?" O bem é o oposto do mal? Se é o oposto, então o bem tem suas raízes em seu próprio oposto. Se o mal é o oposto do bem, então este mal tem uma relação com o bem, porque ele é seu oposto. E os opostos são estruturados pelo pensamento. Ou o bem é totalmente divorciado do mal, ou é trazido por ele, o oposto do bem, a invenção do pensamento como o bem. Então o que é o bem? Vamos investigar! O que é o bem? De acordo com o dicionário,

A Mente Imensurável

o sentido comum desta palavra é "bom comportamento", "bom" no sentido de ser total, não fragmentado, mas tendo aquele senso da totalidade da vida ou a compreensão de sua natureza. Nisso, não há fragmentação como o mal. Mas se o mal surge do bem, então este mal tem um relacionamento com o bem. Estamos perguntando se há uma oposição em nossa vida. Pode o amor ter uma relação com o ódio, com o ciúme? Se o amor tem uma relação com o ódio, então não é amor. Obviamente. Se eu odeio alguém e ao mesmo tempo falo sobre amor, isto é incompatível; os dois não se encontram. Estamos, pois, perguntando, "Existe oposição de algum modo ou apenas 'o que é'?" Onde há um oposto, deve haver conflito. Eu odeio e também penso que amo. Mas o oposto do ódio não é amor. O oposto do ódio é ainda ódio. Então estes são os fatores da desordem em nossa vida: o ideal, a oposição e a aceitação da assim chamada "autoridade espiritual".

Existe a autoridade da lei, a autoridade do governo, a autoridade do policial, a autoridade de um bom cirurgião. Mas psicologicamente, internamente, por que nós aceitamos autoridade – a autoridade do padre, a autoridade do livro, a autoridade do guru? Por quê? Quando seguimos alguém e somos guiados por alguém, guiados

J. Krishnamurti

em o que acreditar, o que não acreditar, aceitando seu sistema de iluminação e assim por diante, o que acontece com nosso próprio cérebro, com nossa própria busca interior? Você é meu guru; você me diz o que fazer, o que pensar, em que acreditar e os vários passos que devo tomar para obter o que quer que você chame de iluminação. E por ser bastante crédulo e querer escapar de minha vida, que é desordenada, corrupta, insegura, eu confio no guru. Eu lhe entrego a minha vida e lhe digo que me rendo. Eu dou parte de minha vida para obter a iluminação, o que quer que isso signifique. Por que eu faço isso? Por quê? Não seria porque eu quero algum tipo de segurança, uma espécie de certeza de que um dia terei algum tipo de felicidade, de libertação de minhas preocupações diárias e sofrimentos?

O guru lhe dá uma certeza, e você se sente satisfeito. Mas você nunca questiona o guru, nunca duvida do que ele está dizendo, nunca discute com ele; você aceita. Esta tem sido a condição dos seres humanos através do mundo por milhões de anos. Ele é o intérprete entre Deus e você, entre aquilo que é sagrado e você. Ele supõe que sabe, que já realizou, e ele lhe dirá o que fazer. E você, querendo conforto, segurança, o aceita sem dúvida alguma. Você alguma vez conversou, discutiu, com seu guru?

A Mente Imensurável

Alguma vez? Nunca. Tenho certeza disso. Ele jamais permitiria isso. Ele diria, "Você não sabe nada sobre isto, eu lhe direi".

Então, questionar a autoridade espiritual – seja ela a autoridade cristã ou a autoridade espiritual do Islã com seus livros, ou a autoridade do seu guru com suas afirmações – questionar isto, duvidar disto é se apoiar inteiramente em si mesmo, ser uma luz para si mesmo, uma luz que não pode ser acesa por outro. Isto requer questionar a si próprio, não somente a autoridade espiritual externa, mas a si mesmo, porque você acredita, de modo que sua própria mente se torne clara, forte, vital, e portanto tenha energia para atividade criativa. Mas quando você segue alguém, seu cérebro se torna indolente, rotineiro, mecânico, o que é muito destrutivo para a mente humana. Assim, não estamos lhe dizendo o que fazer ; mas ver o que você está fazendo, ver por que esta desordem existe em sua vida. E quando você começa a investigar esta desordem, desta desordem surge a ordem. Quando há a dissipação das causas da desordem, existe ordem. Então, você não precisa perseguir a ordem. A ordem é virtude, ordem significa "liberdade".

Devemos investigar também o que é a liberdade. Dissemos que quando há ordem em nossa vida, ordem completa, esta ordem é virtude, e esta mesma ordem é liberdade. A palavra "liberdade" é mal utilizada por todos. Existe liberdade *de* alguma coisa, e existe liberdade. Liberdade *de* alguma coisa não é liberdade. Eu sou um prisioneiro, um prisioneiro de minhas próprias ideias, de minhas próprias teorias, de meus próprios conceitos e assim por diante. Minha mente é prisioneira disso. Então liberdade consiste em me tornar livre de minha prisão para cair em alguma outra prisão. Eu me liberto de um condicionamento particular e, sem saber ou inconscientemente, caio em outro condicionamento; assim a liberdade é *de* alguma coisa, da raiva, do ciúme. Mas isso não é liberdade de modo algum. Liberdade significa "ser livre", não *de* alguma coisa.

Isso requer muita investigação. Nossas mentes e nossos cérebros são condicionados. Somos programados como um computador – programados para ser um hindu, programados para ser um muçulmano, um cristão, e assim por diante. Nossos cérebros têm sido programados por milhares de anos, o que é nosso condicionamento. A liberdade é o fim deste condicionamento. Quando houver um término ao nosso condicionamento, somente então haverá liberdade. Sem esta liberdade, haverá desordem. Portanto, o ideal, a oposição, a busca de autoridade espiritual e a submissão ao nosso condicionamento, tudo isso traz a desordem. Quando houver um fim a isso, haverá ordem. Mas você dirá que é impossível não seguir alguém, pois você é tão vacilante, tão inseguro, que facilmente deseja seguir alguém, o que significa que seu cérebro está se tornando embotado, inativo. Você pode ser ativo fisicamente, mas psicologicamente, internamente, você está deixando de ser ativo.

Então, devemos conversar sobre o sofrimento, se existe um término para o sofrimento. Quando existe o fim do sofrimento, somente então há amor, somente então há compaixão. Portanto, iremos investigar esta questão, se é possível terminar todo o sofrimento. O que é sofrimento, angústia, dor, o sentimento de solidão, o senso de isolamento? Qual é a natureza do sofrimento? Qual é a causa do sofrimento, que é dor, lágrimas, um senso de solidão desesperadora? Investigue por que os seres humanos têm sofrido desde tempos imemoriais e ainda estão sofrendo, não de dor física ou alguma doença fatal; estamos falando sobre a natureza do sofrimento interno, a dor, as lágrimas, e sobre a fuga disso. Imagino se vocês alguma vez se deram conta de que nos últimos cinco mil anos tem havido guerras e de quantas pessoas choraram, derramaram lágrimas por aqueles que foram mutilados, mortos. O orador foi uma vez levado por um amigo, um médico, a um hospital onde as pessoas, depois da guerra, não tinham braços e pernas, e alguns não tinham olhos. Imaginem o quanto suas mães devem ter chorado. A dor, a ansiedade, a esperança, tudo isso constitui o sofrimento. Este sofrimento existe em todos os dias de nossa vida, e parece que nunca nos livramos dele completamente.

Devemos, se desejarem, investigar isso, porque existe um término ao sofrimento. O sofrimento vem com a perda de alguém, com a morte de alguém. Eu perdi meu filho, e surge angústia, lágrimas e um enorme senso de solidão. Então, neste estado de choque, neste estado de dor, ansiedade e solidão, eu busco por conforto. Eu quero fugir dessa agonia. Eu fujo por toda forma de entretenimento, seja drogas, álcool, o templo, a mesquita ou a igreja. Eu quero fugir disso. Então começo a inventar todo tipo de conceitos sofisticados. Mas eu perdi meu filho, ele está morto, se foi, e existe essa dor. Pode-se permanecer com essa dor? Pode-se olhar para ela, acolhê-la, tê-la como uma joia preciosa, e não fugir, não suprimir, não racionalizar, mas olhar para o sofrimento em si, não analisando, não racionalizando e não buscando sua causa. Como um vaso contém a água, acolha esta coisa cha-

A Mente Imensurável

mada "sofrimento", a dor. Ou seja, eu perdi meu filho e estou solitário; sem escapar desta solidão, sem suprimi-la, sem racionalizá-la intelectualmente, mas olho para aquela solidão, compreendo sua profundidade, sua natureza. A solidão é o isolamento total que é trazido por nossa atividade diária, a atividade diária de ambição egoísta ou ambição ideológica, competição, em que cada um é por si mesmo. Estas são as causas da solidão. Mas se você fugir dela, você nunca resolverá o sofrimento.

A própria palavra "sofrimento"[5] significa etimologicamente "paixão". A maioria de nós não tem paixão. Podemos ter luxúria, podemos ter ambição, podemos querer ser ricos, podemos devotar nossas energias a tudo isso. Mas isso não traz paixão. Somente com o fim do sofrimento há paixão. É energia total, não limitada pelo pensamento. Portanto, é importante compreender a natureza do sofrimento e o seu término, que consiste em acolher este sofrimento, esta dor. Olhe para ele. É uma coisa maravilhosa saber como acolher a dor e olhar para ela, estar com ela, viver com ela, não se tornar amargo, cínico, mas ver a natureza do sofrimento. Há beleza neste sofrimento, há profundidade neste sofrimento.

---

[5] No original em inglês, *sorrow*. (N.E.)

J. Krishnamurti

Devemos também conversar sobre o que é o amor. O que esta palavra significa para você? Se lhe perguntassem, em uma sala, o que esta palavra significa para você, o que você responderia? Você pode, se for um intelectual, perguntar, "O que você quer dizer com isto? Eu amo jogar golfe, eu amo ler, eu amo minha esposa, eu amo Deus". Isto é amor? Você ama sua esposa? Você ama seu marido? Você ama seu amigo? Estamos, pois, investigando o que é o amor; e é realmente muito importante investigar porque, sem amor, a vida é vazia. Você pode ter toda a riqueza da Terra, você pode ser um grande banqueiro, um grande cientista, um matemático, uma pessoa capacitada na alta tecnologia, mas sem amor você está perdido, você é uma concha vazia.

Portanto, iremos descobrir não o que o amor é, mas o que o amor não é. Ou seja, através da negação, chegar ao positivo. Na negação do que não é, esta própria negação é o positivo. O ciúme é amor? No ciúme existe apego, ansiedade; no ciúme existe ódio. Isto é amor? Você é apegado à sua família, você é apegado a uma pessoa ou a uma ideia ou a um conceito ou a uma conclusão. Quais são as implicações do apego? Suponha que eu seja casado: sou apegado à minha esposa. O que isto significa? Onde existe apego, existe o medo. Onde existe

A Mente Imensurável

apego, existe suspeita. Onde existe apego, existe possessividade. Onde existe apego a um ideal, a um conceito, a uma crença ou a uma pessoa, com todas as consequências de ciúme, ansiedade, ódio e suspeita, certamente em tudo isso não há amor.

Portanto, para compreender a natureza do amor, é possível se tornar totalmente livre do apego? Por favor, faça esta pergunta a si mesmo. Vocês são todos apegados a uma coisa ou outra. Se eu puder sugerir muito respeitosamente, torne-se cônscio das consequências deste apego. Se você é apegado a um ideal, você está sempre na defensiva ou está agressivo. Se você chegou a uma conclusão e se apega a esta conclusão, você encerra toda a investigação posterior. O comunista, o socialista, todos chegaram a uma conclusão em relação a Marx, Lenin, etc. Eles pararam, eles finalizaram suas capacidades de pensamento, sua investigação, suas dúvidas. Portanto, onde existe apego, deve existir dor. Eu sou apegado à minha esposa, mas ela pode ir embora, ela pode olhar para outro homem ou ela pode morrer. Logo, no apego sempre existe medo, sempre existe ansiedade, suspeita. Certamente, isto não é amor, é? Então, é possível ser totalmente livre de todo apego? Isto é com você. Quando você é apegado, não existe amor porque neste apego existe medo. O medo não é amor. E o homem ambicioso que quer subir a escada do sucesso não tem amor porque ele está preocupado consigo mesmo, com suas aquisições, com acumulação de poder, com posição, prestígio. Como pode tal homem amar alguém? Ele pode ter uma família, filhos, mas neste homem não há amor.

E quando você diz, "Eu amo a Deus como princípio mais elevado", isto é amor? Este Deus, este princípio, o princípio mais elevado, *Brahman*, é resultado do pensamento. Deus é inventado pelo homem. Tenho certeza de que você não vai gostar de ouvir isto, mas você é apegado ao conceito de que Deus existe. Então, você pergunta, "Quem é o criador de todo esse sofrimento?" Deus não criou isto, criou? Se criou, ele deve ser um Deus muito excêntrico, deve ser um Deus estranho, sádico. Todos os deuses no mundo foram inventados pelo pensamento. E para descobrir o que é o amor, deve se dar um término ao sofrimento, ao apego, um término a tudo com o que estamos comprometidos internamente. Aonde o "eu", o ego, está, o amor não está.

Você ouve tudo isso, meu amigo, mas você sairá daqui com o mesmo apego, com as mesmas convicções, e nunca investigará além, porque quanto mais você investiga tudo isso, mais perigosa a vida se torna. Porque você

A Mente Imensurável

pode ter que desistir de muitas coisas naturalmente, não como autossacrifício; você pode ter que desistir delas naturalmente, facilmente. Se você compreender a natureza do apego e se libertar dele, e se falar para sua esposa, "Eu não sou mais apegado a você", ela talvez jogue um tijolo em você ou diga, "Que coisa sem sentido". Portanto, você deve perceber que quando você vê a verdade de alguma coisa, você está se posicionando completamente sozinho. Você percebe algo, e disso você tem medo. Você pode ver internamente a verdade da natureza do apego, mas como você não quer discutir com sua esposa ou seu marido, você aceita. Assim, gradualmente você se torna hipócrita.

E devemos também discutir a natureza da inteligência. A compaixão tem sua própria inteligência. O amor tem sua própria inteligência. Vamos investigar o que é a inteligência. Certamente, ela não pode ser buscada nos livros. O conhecimento não é inteligência. Onde existe amor, compaixão, ali há a beleza de sua própria inteligência. A compaixão não pode existir se você é um hindu, um católico, um protestante, um budista ou um marxista. O amor não é o produto do pensamento. Compreender a natureza do amor, da compaixão é negar tudo o que não é. Ver aquilo que é falso como falso é o começo da inteligência. Ver a verdade no falso é o começo da inteligência. Ver a natureza da desordem e eliminá-la, e não a carregar dia após dia, mas encerrá-la, é percepção imediata, que é inteligência. Agudeza mental não é inteligência. Ter muito conhecimento sobre vários assuntos – matemática, história, ciência, poesia, pintura – não é a atividade da inteligência. O investigador do átomo pode ter uma extraordinária capacidade para concentração, para imaginação, para aprofundar, para o questionamento, para perguntar, para formar hipótese após hipótese, teoria após teoria, mas tudo isso não é inteligência. A inteligência é a atividade da totalidade da vida, não é segmentada, fragmentada. E esta inteligência não é sua ou minha. Ela não pertence a nenhum país, a nenhum povo, como o amor não é amor cristão ou amor hindu e assim por diante.

Portanto, investigue tudo isso, pois nossa vida depende de tudo isso. Nós somos pessoas infelizes, sofredoras, sempre em luta, sempre em conflito. Nós aceitamos essa condição como um modo de vida. Mas, ao investigar tudo isso, haverá o despertar desta inteligência. Quando esta inteligência está em operação, em ação, existe apenas reta ação.

Calcutá, 27 de novembro de 1982.

O Significado do Viver Diário

Temos falado sobre muitas coisas, sobre diversos problemas humanos, e devemos considerar várias coisas mais. Ao ver o que o mundo é, olhando o que está acontecendo no mundo – a corrupção, a violência, a total desconsideração das pessoas pelos políticos, e os gurus que nada têm a dizer a não ser repetir algumas frases e *slogans* desgastados – considerando tudo isso, nós, você e o orador, devemos pensar juntos; não concordar, não desconsiderar ou rejeitar, mas refletir juntos. O pensamento construiu este mundo. O pensamento foi responsável por todas as misérias dos seres humanos, embora tenha criado no mundo da tecnologia as coisas mais extraordinárias. E parece tão urgente e necessário que devamos todos pensar juntos, cooperar juntos, descobrir por nós mesmos porque não há mais um líder, nenhum guru. Nós somos inteiramente, totalmente, responsáveis por nós mesmos. E como a crise é grande, devemos ser capazes de pensar juntos.

Aparentemente, isso é uma das coisas mais difíceis de se fazer, pois cada um de nós tem tantas opiniões, tantas conclusões, que nos impedem de estar juntos. Pensar

J. Krishnamurti

juntos significa colocar de lado todos os nossos preconceitos pessoais, tendências, opiniões, e várias formas de conclusões que realmente impedem a comunicação uns com os outros. Podemos colocar tudo isso de lado pelo menos por uma hora e pensar juntos para descobrir por nós mesmos a verdade, a realidade de nossa vida, olhar para ela sem qualquer tendência, não como um comunista ou um marxista ou um socialista, ou como alguém pertencente a alguma seita ou religião ou nacionalidade, mas olhar juntos, bem de perto, para nossas vidas? Ninguém irá mudar nossas vidas, nenhum ambiente, nenhuma autoridade, nenhum livro. Então devemos olhar para nós mesmos como somos e explorar com grande profundidade o significado da existência, o significado de nossas vidas, o significado de nossas atividades.

 Destaquemos que isto não é uma palestra. O orador não está lhe dizendo o que fazer, mas juntos entraremos no reino do pensamento, porque o pensamento trouxe grande tecnologia, mas também grandes guerras, enorme angústia, imenso sofrimento, e o pensamento trouxe também higiene, técnicas cirúrgicas, e tudo isso. Iremos penetrar na totalidade da existência do homem, não em um aspecto dela, não como um homem religioso ou do mundo, não como um acadêmico ou um monge, não

A Mente Imensurável

como uma mulher ou um homem. Devemos olhar para a totalidade de nossa vida – indo ao escritório dia após dia pelos próximos quarenta, cinquenta anos, e então morrendo no final disso; indo para a fábrica, com todo o ruído, a fealdade e a sua brutalidade. Devemos ser capazes de olhar para a totalidade de nossa existência, para nossa vida individualmente, olhar para ela, observá-la, não dirigi-la, não perguntar a nós mesmos qual é o objetivo ou o que deveríamos fazer, mas primeiro tomar consciência, compreender a nós mesmos, compreender o que realmente somos, por que fazemos certas coisas, e por que pertencemos a isso ou àquilo. Portanto, é importante que olhemos para nossa vida.

Se observar de perto, sua vida é fragmentada, segmentada – você é um homem de negócios ou um médico ou um cirurgião ou um engenheiro, e em sua vida pessoal existe sempre a separação entre você e o outro, embora sejam próximos. Há sempre esta divisão, este esforço, esta dor. É claro que existe algum tipo de alegria, de prazer, mas isso também é parte da vida. Nossa vida, como é agora, está segmentada, fragmentada, e esta fragmentação acontece porque nosso pensar também é fragmentário. Nosso pensar é o que surge do conhecimento, e o conhecimento é sempre limitado. O conhecimento sempre

J. Krishnamurti

anda de mãos dadas com a ignorância. Não existe conhecimento completo sobre alguma coisa. Assim, seu pensar, que nasce de seu conhecimento, é sempre limitado sob todas as circunstâncias, seja você um cientista ou um psicólogo ou um engenheiro e assim por diante. Portanto, o pensamento, o pensar, é limitado, circunscrito, e o que é limitado deve inevitavelmente criar fragmentação em sua ação. O próprio pensamento é a causa de toda divisão, de toda fragmentação. A não ser que compreenda a natureza e a estrutura do pensamento, você não pode ir muito longe. E para ir longe, você deve começar bem perto, por você – como você pensa, o que você pensa – e descobrir por si mesmo que o pensamento é sempre limitado. Ele pode inventar Deus, o imensurável, o inominável, o supremo, mas isso ainda é produto do pensamento. Portanto, o pensamento é um dos maiores fatores de nosso conflito, de nossa miséria, de nosso sofrimento.

A menos que você compreenda isso basicamente, muito profundamente, não intelectualmente, não de forma verbal, argumentativa ou lógica, a menos que você compreenda a natureza do pensamento, você não pode começar a descobrir por si mesmo um novo instrumento, um instrumento totalmente diferente, pois o único instrumento que você tem agora é o pensamento.

A Mente Imensurável

O pensamento criou problemas inconcebíveis, os mais complexos problemas, e tenta resolver estes problemas, criando, consequentemente, mais problemas. Você deve ter observado isso politicamente, religiosamente e assim por diante. Então, devemos descobrir um novo instrumento – é o que faremos ao conversar sobre morte, religião, meditação – e compreender, descobrir, chegar a algo que não seja feito pelo homem, algo que esteja além do tempo, além de toda mensuração. Vamos descobrir isso, falar a respeito, conversar uns com os outros. Mas primeiro devemos compreender a posição do pensamento, o valor do pensamento, a atividade que traz o pensamento, na qual existe divisão, fragmentação. Se assim estiver bem claro, poderemos olhar para nossa vida, nossa vida circunscrita e pessoal. É muito mais importante compreender o que acontece antes da morte do que o que acontece depois da morte. Estamos sempre investigando o que acontece depois da morte, mas nunca investigamos o que acontece antes da morte – não no último dia ou no último minuto, mas o modo como vivemos por trinta, quarenta, cinquenta anos ou mais. Tempo é morte. Estamos falando do tempo interno, do tempo psicológico, do tempo que criou a ideia de esperar: "Espero me tornar alguma coisa", "Espero me tornar rico", "Espero me tornar um santo ou uma pessoa espiritual". O tempo é um movimento. Além do tempo do relógio, do pôr do sol, do tempo para ir de um ponto a outro, do tempo para aprender uma língua e assim por diante, existe o tempo interno, o tempo psicológico para esperar, para alcançar, o tempo para modificar o que é em alguma outra coisa. Tudo isso envolve tempo, tanto físico quanto psicológico. Estamos falando sobre o tempo psicológico, o tempo que está dentro da pele, por assim dizer. Este tempo é morte. Pensar em termos de tempo é trazer a divisão, a fragmentação, e dar ao futuro um significado maior do que ao presente.

Vocês estão acompanhando tudo isso? Sim? Por favor, vocês não estão me encorajando. Estou perguntando se estamos caminhando juntos na mesma estrada, na mesma linha, talvez de mãos dadas. Não que vocês estejam andando na minha frente ou atrás de mim, mas estamos caminhando juntos, na mesma agradável trilha, repleta de sombras, ar perfumado e belas árvores. Então, quando eu pergunto, é apenas para descobrir se estamos caminhando juntos, pensando juntos, cooperando uns com os outros.

O tempo, que é um movimento, é inventado pelo pensamento. O tempo psicológico é inventado pelo

A Mente Imensurável

pensamento, e o próprio pensamento é o produto do tempo. É produto do tempo porque o homem obteve conhecimento através de longa evolução. Evolução implica tempo, e quando pensamos em termos de tempo, nós segmentamos a vida, fragmentamos a vida: "Eu sou um hindu, você é um budista", "Eu sou um muçulmano, você é um cristão" e assim por diante. Esta fragmentação é o resultado do pensamento, que é limitado em si mesmo. E o tempo psicológico é inventado pelo pensamento. Quando você diz, "Eu sou, eu serei"; "Eu sou isto, mas um dia eu serei diferente", o intervalo entre *o que é* e o que você *deveria ser* ou o que você *quer ser* é o tempo. Quando você tem este tempo, deve haver fragmentação. E na vida que está sendo vivida agora, você separou a morte do viver.

Você nunca investiga profundamente o que acontece bem antes da morte, o que acontece com sua vida. Pouquíssimas pessoas questionam a respeito. Você está sempre preocupado com o que acontece depois da morte, se você irá viver, se você encontrará seu irmão e assim por diante, mas não com o longo período de trinta, quarenta, cinquenta anos, que é muito mais importante do que o que acontece depois. Portanto, iremos examinar, observar, o que nossa vida é. Pois se você não com-

J. Krishnamurti

preender isso profundamente, quando você encontrar a morte, você ficará apavorado, estará totalmente cego a tudo. Assim, devemos investigar a vida que é vivida diariamente, investigar se ela tem alguma significância, se ela tem algum valor, profundidade, beleza.

O que é a sua vida? O que é sua vida diária? Talvez você vá para o escritório das nove às cinco pelo resto de sua vida. Você alguma vez já pensou que desventura isso representa? E trabalhar para quê? Você dirá, "É minha responsabilidade, meu dever para com minha família, eu devo ganhar dinheiro". Assim sendo, você fica no escritório das nove às cinco pelos próximos sessenta anos, e então se aposenta e morre. Este é um dos fatores de nossa existência diária. Lá, no escritório ou na fábrica, você está se esforçando, você está competindo, você quer se tornar o gerente. O atendente quer se tornar o executivo, o padre quer se tornar o bispo, e assim por diante. Você chega em casa, desgastado, insultado, chateado. O que você chama "lar"? Apenas o teto, meia dúzia de dependências ou um quarto? O que é um lar? O que esta palavra, "lar", significa para você? Apenas viver, comer, ter sexo, disputar, discutir, argumentar, oprimir um ao outro?

Ou então você se retira de tudo isso, se torna um monge, um *sannyasi*. Mas você não pode se retirar da

A Mente Imensurável

vida; você pode usar diferentes vestimentas, mas a vida é onde você está, o que você é. E durante estes quarenta, cinquenta anos, existe constante esforço, constante conflito, dor, um pouco de alegria, a busca de prazer e a morte inevitável. Isso é a sua vida, em poucas palavras. Você não pode negar; ela é assim.

Aliás, é a vida de todo ser humano na Terra, vivam eles em uma sociedade afluente ou sob uma ditadura ou em um estado totalitário; sejam eles marxistas, leninistas ou democratas, isto é a vida deles – dor, luta, conflito, trabalhar desde a manhã até a noite. Você sabe o que acontece a tais seres humanos, à capacidade deles de pensar? Como você pode pensar claramente, pensar como um ser humano, como alguém que é realmente parte da humanidade? Este é o estado de todo ser humano, isto é sua consciência. Portanto, você é de fato parte da humanidade. Isto não é uma conclusão lógica; é um fato. Você deve compreender este fato; de outro modo, quando falarmos sobre a morte você não compreenderá a significação de sua consciência com seu conteúdo. O conteúdo consiste no nome, na forma, nas crenças, nos dogmas, na dor, na ansiedade, na solidão, no desespero, na depressão, no desejo. Tudo isso é você, é o que você realmente é. Essa consciência é a consciência de todos os seres humanos.

J. Krishnamurti

Isso é lógico, mas se você o reduz meramente à lógica e então conclui, não tem valor algum. Mas quando você sente a profundidade, a beleza extraordinária, a força disso, o fato de que você é parte da humanidade, quando assim sente no seu sangue, em seu coração, em sua mente, então você não é mais um indivíduo. Eu sei que é difícil para você aceitar isso ou mesmo pensar a respeito, pois você está condicionado a ser um indivíduo. Mas você não é. Você pode ser alto ou baixo, você pode ser inteligente e assim por diante. Este é o nível periférico, do lado de fora. Mas por dentro você é como o resto da humanidade.

Portanto, se você é como o resto da humanidade – você *é* a humanidade – então qual é a sua responsabilidade quanto ao homem? Qual é sua responsabilidade quanto ao que está acontecendo no mundo? Provavelmente você nunca fez esta pergunta a si mesmo. Você diz que sua responsabilidade é para com a sua família, para com o seu país. Mas a ideia de seu país é apenas outra invenção do pensamento. Então, por favor, examine sua vida diária. Qual é a sua responsabilidade para com o resto da humanidade? O resto da humanidade está destruindo a si mesmo. Então, você precisa descobrir por si mesmo qual é a sua responsabilidade, qual é a reta ação

A Mente Imensurável

frente a tudo isso. Você não pode escapar! Você pode limitar a si mesmo a certas responsabilidades imediatas, mas você é um ser humano que é o resto da humanidade. Logo, você também é responsável pela humanidade. Sua consciência não é sua; é partilhada por todos os seres humanos vivendo na Terra. Todos eles passam por todo tipo de infortúnio, todo tipo de sofrimento, dor, ansiedade, desespero e o sentimento de extrema solidão. Portanto, se você está de algum modo consciente do que está acontecendo no mundo, então você deve perguntar a si mesmo qual é a sua responsabilidade, qual é a sua ação.

Assim, você pensa que é um indivíduo, você pensa que está separado do resto da humanidade. E então você pergunta, "O que acontecerá comigo depois que eu morrer? Eu não terei uma nova encarnação?" Vamos examinar isso bem de perto. O que é você? Quando você diz, "Eu quero nascer na próxima vida, eu acredito em reencarnação", o que é que está para renascer? O que é você? Você é o nome, a forma, o corpo. Você é o que você pensa. Você é o resultado de sua educação, e a educação está deteriorada. Ela apenas condiciona você a se tornar um engenheiro, um atendente, isto ou aquilo. Eles não o educam para compreender a beleza, a totalidade da vida. Eles apenas dão a você uma grande quantidade de conhecimento para que você possa agir no mundo, de forma hábil ou não. Isso não é educação, mas apenas uma parte, uma pequena parte da educação. Educação é o cultivo do ser humano total, o desenvolvimento, o florescimento da mente humana, e não a limitação dela pela especialização.

O que é você? Seria você uma série de palavras, uma série de ideias, uma memória repetitiva, uma continuidade de convicção? Tudo isso é uma estrutura verbal. Mas você diz que isso não é tudo, que existe algo muito mais profundo. Assim você dirá. Você dirá que existe algo mais profundo – Deus ou *Atman*, ou como queira chamá-lo, ou a alma, como os cristãos o chamam. Você diz: "Eu não sou tudo isso; eu sou muito mais, existe um fragmento de luz em mim, e existe algo mais do que meros atributos físicos, mais do que meras conclusões, conceitos, crenças e palavras. Eu sou mais do que tudo isso". Quando você diz que é mais do que tudo isso, também é invenção do pensamento. Obviamente. Portanto, você é estruturado pelo pensamento. Você se denomina hindu, outro se denomina muçulmano e assim por diante. Toda esta divisão é o resultado do pensamento. Assim, você é, realmente, uma série de memórias, uma série de

A Mente Imensurável

reações e respostas baseadas no seu conhecimento, em sua experiência, na qualidade de sua mente. Isto é o que você é, que é essencialmente morte. Você está vivendo no passado, e o passado está morto. Todo conhecimento está no passado; se você vive com o conhecimento, que é o passado, e como o passado acabou, se foi, o que é você? Prossiga, olhe para si mesmo. Olhe para si mesmo como se olhasse para um espelho.

Portanto, isso é o que você é. E você diz, "Se eu morrer, deve haver encarnação em uma outra vida", o que consiste em carregar a mesma coisa para a próxima vida – uma quantidade de palavras, de experiências, de memórias, uma casa melhor, mais dinheiro e assim por diante. E se você de fato acredita em uma vida futura, na próxima vida, então o que você faz agora interessa mais ainda, pois na próxima vida você pagará por isso. Esta é a sua convicção, é a isso que você se apega – a muitas memórias que estão mortas, que se foram, ideias que também se extinguiram e estão mortas. É por isso que este país, que crê em tantas coisas, tem tantos credos, tantas superstições, acredita em reencarnação. É por isso que aqui existe um morrer aos poucos.

A questão, então, é: o que é a morte? Por favor, faça esta pergunta. Você é apenas um vasto reservatório de

J. Krishnamurti

memórias, palavras, quadros, símbolos. Sua consciência é aquela do resto da humanidade. Você não é um indivíduo. O que você pensa, outra pessoa pensa. Seu pensar não é individual; existe apenas o pensar. Portanto, quando você percebe que não é um indivíduo, que embora você tenha uma forma diferente, um formato de cabeça diferente, um emprego diferente e assim por diante, internamente você é como o resto da humanidade, então o que a morte significa? Suponha que você seja tudo isto: nome, forma, educação, respostas físicas, reações psicológicas, todas as memórias raciais herdadas e memórias pessoais, que está tudo no passado. Você é tudo isso. Todos os seres humanos são isso, toda a consciência humana é isso. Então, o que significa morrer?

Agora você está vivo, ativo. Você pode estar repetitivamente ativo, mecanicamente ativo, como a maioria das pessoas está, mas você está ativo; você tem vida, você tem sentimentos, você tem respostas, sensações. E quando a morte vem, tudo isso é aniquilado. As próprias células cerebrais, por falta de ar e assim por diante, se desintegram. Isto é o que chamamos morte, o fim de todas as coisas às quais você se apegava: todas as suas joias, sua casa, sua conta bancária, sua esposa, seus filhos, seus apegos. Tudo terminou; isto é a morte. Mas você quer carregar tudo isso para a próxima vida, que é apenas uma ideia, um desejo. Daí acabar com os apegos enquanto se vive. Quando você morre, todos os seus apegos se acabam. Mas você consegue provocar o fim do apego? Ou seja, o fim é a morte. Você consegue, portanto, enquanto está vivo, com vigor, ativo, findar o seu apego, acabar com um hábito particular voluntariamente, simplesmente, serenamente? Então, quando ocorre um término, há um começo totalmente diferente, não como um ser humano com todas as suas ideias peculiares e assim por diante. Quando você aniquila algo como o apego, existe uma atividade diferente acontecendo. Portanto, encarne no presente, agora – você compreende? Isto é atividade criativa. Isto depende de você, se assim você quiser. E devemos conversar sobre o que a religião é, o que é uma vida religiosa, o que é uma mente religiosa. Podemos entrar neste tema? – mesmo aqueles de vocês que têm vestes de *sannyasi* e tudo o mais. A origem desta palavra, "religião", etimologicamente, não é clara. Originalmente significava "ligar", ligar a si mesmo a algum princípio superior, ligar a si mesmo a alguma ideia nobre. Mas mesmo isso está descartado agora. Então, podemos esquecer o significado do dicionário. Investigaremos o que a religião é, o que é uma vida religiosa, o que é meditação, e se existe alguma coisa que não tenha sido tocada pelo pensamento.

As religiões presentes no mundo – você as chama "religiões"? Você é um hindu, você crê, seus livros dizem isto e aquilo. Você venera um ídolo; os muçulmanos não o fazem, mas eles têm suas próprias formas de veneração. O cristão tem seu símbolo, seus rituais, dogmas, crenças, superstições, etc. Existe a estrutura hierárquica de uma sociedade religiosa. Você chama tudo isso de religião. Você tem crença em Deus. A não ser que você acredite em Deus ou em algum princípio supremo, considera-se que você não é religioso. Mas seus deuses foram estruturados pelo pensamento. Por nossa vida ser tão miserável, tão incerta, tão feia, dizemos a nós mesmos que deve haver alguma coisa a mais, algo que está protegendo, que está provendo, que está criando. Assim, o pensamento cria a ideia baseada em livros e na tradição, e é programado a acreditar em Deus. Isso, certamente, não é religião. Você concorda? É claro que não. Mas isso não é religião. Sua crença, sua veneração, ir ao templo, à mesquita, à igreja, e repetir algumas frases estão integralmente, totalmente, divorciados da vida diária.

Compreender a nossa vida diária, trazer uma mudança radical nesta vida, ter um cérebro que não seja

A Mente Imensurável

supersticioso, que esteja realmente encarando os fatos, encarando o que se é, e indo além do *que é* – este é o começo de uma mente religiosa. Não todas estas superstições, não a tortura do corpo. Isso é o que a tradição tem feito: tem dito que você não pode chegar à iluminação ou a Deus sem brutalizar, destruir, negar o seu corpo. Mas, por dentro, a chama do desejo está lá, ardendo.

Portanto, compreender o completo significado do viver diário, que é a compreensão do relacionamento de uns com os outros, amar, ter aquela qualidade do amor que não consiste no amor por sua esposa ou por outra pessoa, ter aquele perfume, aquela beleza, aquela chama – isto é religião. Isto é uma mente religiosa. As religiões, como existem hoje, com suas constantes repetições de frases, rituais, genuflexões e assim por diante, não são religião. É viver uma vida que não tenha conflito, que possua o senso de compaixão, amor, inteligência. Compaixão *é* inteligência. Isto é a vida religiosa.

Mas isso não é suficiente. Temos que compreender coisas muito mais profundas, como: o que é meditação? É sentar em uma certa postura, fechar seus olhos, repetir algumas frases, algum *mantra*? A palavra "*mantra*", em sânscrito, significa "ponderar sobre, considerar o não vir a ser, meditar no não vir a ser". Quando você não

J. Krishnamurti

está buscando tornar-se, o que você é? A palavra *"mantra"* também significa "colocar de lado toda atividade autocentrada". Este é o verdadeiro significado da palavra *"mantra"*. Agora, veja o que você fez! Você repete algumas palavras e chama a isto *"mantra"*. Portanto, uma vida religiosa consiste em não vir a ser alguma coisa internamente. Então, devemos nos aprofundar. Meditação significa "ponderar sobre, refletir sobre", de acordo com o dicionário, e estamos adicionando a isso "o término da mensuração". Sigamos então.

Eu espero que você dê sua vida a isso, não ao que está sendo dito, mas dê sua vida para descobrir como viver corretamente, verdadeiramente, como viver uma vida ordenadamente. Uma vida em ordem não pode existir sem amor e compaixão. Dê sua vida a isso, não a algum culto.

Então, o que é meditação? Não como meditar. Quando você usa a palavra "como", isto significa "dê-me um sistema; por favor, diga-me o que fazer, mostre-me o caminho". Se você puder remover completamente esta palavra "como" de sua mente, e então olhar para isto, o que é meditação? Sistemas, métodos, práticas, algumas formas de disciplina, respirar corretamente, profundamente e assim por diante – tudo isso não é meditação.

A Mente Imensurável

Significa apenas que você está praticando alguma coisa porque alguém lhe disse que se assim fizer, você obterá algo. É uma troca, um mercado aonde o guru vende a você alguma coisa e você pratica. Então, vejamos o que é meditação.

Meditação não é a prática de algum sistema, pois quando você pratica um sistema, seu cérebro se torna atrofiado, embotado; não está vivo, ativo. Assim, se você estiver realmente, profundamente preocupado com meditação, então não haverá qualquer sistema, nenhum método. Praticar todo dia por meia hora ou sentar quietamente não é meditação. Pode relaxá-lo; é como ir para a cama, deitar depois de uma boa refeição. Você consegue, então, rejeitar racionalmente tudo isso, ao ver o absurdo em praticar um método por ele criar uma rotina? Sua mente já está capturada, já está mecânica, e você a torna mais mecânica, mais entorpecida, mais condicionada. Ao invés disso, na meditação deve haver liberdade – liberdade do medo, liberdade da inveja, da ganância, do sofrimento, e de todas as feridas que são obtidas na infância, as feridas psicológicas, as mágoas. Deve-se ser livre de tudo isso.

Devemos investigar primeiramente o que significa ser cônscio. Vejamos três questões: o que significa ser cônscio, o que significa concentrar-se, e o que significa estar atento? Porque tudo isso implica na meditação: ser cônscio, ser cônscio do seu meio ambiente, ser cônscio de como você fala, como você caminha, como você come, como você fala com o outro, como você o trata; como você está sentado aí, ser cônscio de seu vizinho, da cor de seu casaco, do jeito que ele olha, apenas ser cônscio, sem criticismo. Isso lhe dá grande sensibilidade, empatia, de modo que seu corpo é sutil, sensível, cônscio de tudo o que está acontecendo ao seu redor. Ser cônscio sem nenhuma preferência, sentado aonde você está, olhando para o orador, olhando para tudo ao seu redor, sem uma única predileção, apenas olhar, estar cônscio.

Em seguida, há a concentração. Quando você se concentra, o que acontece? Você controla todos os pensamentos exceto um, que é concentrar-se em alguma coisa, concentrar-se num livro, concentrar-se no que você está fazendo, que significa que você se fecha para todos os pensamentos exceto aquele escolhido, centraliza todo o pensar em um ponto particular. Isto é o que a concentração geralmente significa. Ou seja, enquanto você está tentando se concentrar, todos os outros pensamentos estão vagando, empurrando, vindo e voltando, e então você constrói uma resistência a qualquer outro pensamento exceto aquele, ou a um símbolo ou a uma ideia. Isto é o que geralmente é chamado de concentração.

E então, existe a atenção. Você já esteve atento a alguma coisa, entregando toda a sua energia, já ouviu alguém totalmente, completamente, atento, não como um soldado que foi instado a comparecer, mas porque você compreende a natureza da consciência, da concentração e da atenção? Se você está completamente atento agora ao que está sendo dito, nesta atenção não existe um centro como "eu". Você está atento desta forma ao que está sendo dito, ou seja, está dando toda a sua energia, escutando, vibrantemente vivo, para estar atento? Se você está, então você descobrirá que não existe um centro como "eu" prestando atenção. Então, quando você está tão profundamente atento, o cérebro se torna quieto, naturalmente. Não existe tagarelar, não existe controle. Quem é o controlador para controlar o pensamento? É uma outra parte do pensamento, não é? Uma parte do pensamento diz, "Eu sou a testemunha, eu vou controlar meu pensamento". Mas o controlador é o controlado. Então, na meditação, não existe controlador. Não existe atividade da vontade, que é desejo.

Assim, o cérebro, todo o movimento do cérebro, independentemente de sua própria atividade, que tem seu

J. Krishnamurti

próprio ritmo, se torna completamente quieto, silencioso. Não é o silêncio cultivado pelo pensamento. É o silêncio da inteligência, o silêncio da suprema inteligência. Neste silêncio, aquilo que é inominável acontece – o inominável *é*. Isto é sagrado, imutável, não tocado pelo pensamento, pelo empenho, pelo esforço. Este é o caminho da inteligência, que é o caminho da compaixão. E, então, aquilo que é sagrado é eterno. Isto é meditação. Tal vida é uma vida religiosa. E nela existe grande beleza.

Calcutá, 28 de novembro de 1982.

CONFERÊNCIAS EM CHENNAI[6]

A Natureza e o Conteúdo do Pensamento

Eu não sei por que todos vocês estão aqui. É uma pergunta bastante importante a se fazer – por que cada um de vocês está aqui, com qual intenção, com qual propósito, e o que você apreendeu para si mesmo ao final das conversas. Conversaremos sobre muitas coisas relacionadas à nossa vida diária, a todos os eventos que estão acontecendo nesta infeliz Terra. Isto não é uma palestra como é usualmente compreendida, mas uma conversação entre nós, entre dois amigos que estão

---

[6] Conferências realizadas na então chamada cidade de Madras. Em 1996, o governo de Tamil Nadu alterou oficialmente o nome da cidade para Chennai. (N. E.)

J. Krishnamurti

preocupados com o que está acontecendo não apenas no mundo externamente, no meio ambiente, mas também com o que está acontecendo com o ser humano. Conversaremos sobre o que está acontecendo com nosso cérebro, com nossa conduta, sobre o porquê de os seres humanos – que têm vivido nesta Terra talvez por um milhão de anos e depois de toda esta assim chamada "evolução", passando por tantas guerras, religião após outra, governo após governo – terem se degenerado tanto e estarem sem nenhum vigor, nenhuma integridade. E se me permitem respeitosamente apontar, não estamos meramente escutando uma série de ideias ou conclusões ou alguns novos princípios e valores. Mas juntos, você e o orador, examinaremos de perto, questionando cuidadosamente, o que está acontecendo no mundo externo e o que está acontecendo conosco em nossa própria vida diária, em nossa vida interna.

Estamos conversando sobre tudo isso. Se você se apegar à sua opinião, seja ela insignificante ou contumaz, ou se você chegou a alguma conclusão definitiva, então não será possível ter uma conversa ou nos comunicarmos uns com os outros. Deve estar claramente compreendido, desde o início destas conversas, que você e o orador farão explorações não de algum ponto

A Mente Imensurável

de vista religioso, ou como comunistas, socialistas, marxistas, conservadores, ou como aqueles pertencentes à esquerda ou à direita, ou pertencentes a alguma nação. Para examinar, deve-se ter uma mente livre, não uma mente cheia de opiniões, não uma mente tradicional, pertencente a alguma seita, a alguma ordem, a algum grupo religioso ou instituição. Se não for assim, você não poderá examinar de perto o que está acontecendo no mundo, externamente a nós. Existem as ameaças de guerra, a guerra nuclear ou a guerra convencional; existe o declínio de todas as religiões; não existe atividade moral. E maioria de nós está vivendo superficialmente, intelectualmente, sem nunca examinar, sem nunca questionar, sem duvidar de tudo o que está acontecendo no mundo. Para examinar, penetrar, observar, são requeridos uma mente muito clara, um coração e um cérebro que não estejam presos a qualquer tradição. O cérebro já está condicionado, e evoluiu por milênios. Se não estivermos cônscios das atividades de nosso próprio cérebro, de nossas próprias respostas sensoriais, o exame e a observação do que está acontecendo no mundo se torna quase impossível.

Portanto, pelo menos por esta noite, conversemos sem impor quaisquer ideias, quaisquer conclusões dogmáticas entre nós, como dois amigos que se conhecem há algum tempo e, sentados sob uma formosa árvore num clima ameno, olham para o mundo. O que é o mundo? O que está acontecendo lá fora? Quem criou isso? Por que o homem se tornou o que ele é: inconsequente, descuidado, indiferente, brutal, violento, sem nenhum amor? Por que nós nos tornamos isso? Você pode culpar sua hereditariedade, pode culpar o ambiente, a cultura, a sociedade. Mas quem criou a sociedade? Cada um de nós – a geração passada e a geração presente – está contribuindo para isso. Nós criamos este mundo, e não há escapatória para este fato. Cada um de nós contribuiu para o caos, para a confusão, a desordem, a anarquia que está acontecendo.

O pensamento dividiu o mundo em nacionalidades, e o nacionalismo é uma das causas da guerra. O nacionalismo, inventado pelo pensamento em sua busca por segurança, dividiu o mundo em britânicos, franceses, indianos, muçulmanos, paquistaneses, russos e assim por diante. Por meio desta divisão, o pensamento criou a guerra e a preparação para a guerra, para a matança de outros seres humanos; o pensamento foi responsável por isso. Em sua busca para estar a salvo, seguro, para achar em algum lugar um senso de segurança, a divisão come-

A Mente Imensurável

ça pela família, a comunidade, então um grupo maior e um grupo mais amplo, esperando ali encontrar algum tipo de salvação, de proteção, de segurança. Ela começa por um pequeno grupo e termina em nacionalidades. Todos os governos estão apoiando este sistema maluco de dividir as pessoas em nacionalidades, em grupos, como chineses, russos, americanos, ingleses, franceses e assim por diante. O pensamento foi responsável pela divisão das religiões – o cristão, o budista, o hindu, o muçulmano, etc.

O pensamento criou as maravilhosas catedrais, as formidáveis mesquita, e os admiráveis templos. O pensamento colocou, nestes templos, mesquitas e igrejas, as coisas que são inventadas pelo pensamento: os rituais, os dogmas, todas as cerimônias. O pensamento foi responsável por tudo isso. E o pensamento criou os problemas da divisão, os problemas que surgem pela divisão entre judeus e árabes, entre um grupo e outro. O pensamento foi responsável pelo extraordinário desenvolvimento da tecnologia. Poucos de nós sabem o que realmente está acontecendo no mundo tecnológico, as coisas terríveis que estão fazendo biologicamente, inventando grandes instrumentos de destruição – que é o vasto e ilimitado movimento da tecnologia. O pensamento organizou a matança em massa em nome da paz, em nome do país, em nome de Deus. Portanto, há um grande conflito acontecendo, pelo qual o pensamento é responsável.

Iremos, presentemente, investigar juntos o que é o pensar, qual a natureza do pensamento. Mas, primeiramente, devemos examinar a atividade e o resultado do pensamento, do pensar. O pensamento trouxe grandes benefícios: a higiene, a comunicação, o transporte rápido e tudo isso. O cérebro é infinitamente capaz; e esta capacidade, esta energia, do pensamento, criou este mundo de tecnologia com todos os problemas que lhe envolvem, ambientais e sociais. O pensamento também criou a confusão em nossa vida diária, em nossos relacionamentos uns com os outros, entre homem e mulher. Estamos, pois, dizendo que o pensamento é responsável por toda a miséria no mundo. Por favor, não negue ou aceite o que o orador está dizendo. Ele está colocando isso para que você examine, questione, duvide, não para que você aceite ou concorde, mas olhe, examine.

Devemos, então, examinar muito cuidadosamente qual é a fonte do pensamento, por que o pensamento criou tanta confusão no mundo; se o pensamento pode ter o amor como sua companhia, ou se o amor é inteiramente diferente das atividades do pensamento. Deve-

A Mente Imensurável

mos examinar sem qualquer senso de autoridade, sem qualquer senso de pertencimento a um grupo ou a uma religião ou uma seita, e permanecer totalmente descompromissado. Só então é possível examinar e ir além da presente confusão e caos. Por favor, escutem. Não concordem, mas escutem para descobrir. Devemos ser tanto o instrutor quanto o discípulo. O significado desta palavra, "discípulo", é "aquele que aprende". Devemos, também, ser os instrutores. O próprio ato de aprender nos dá a responsabilidade de ensinar. Então iremos aprender juntos, não com apego às nossas próprias tradições, às nossas próprias opiniões e conclusões, porque isso nos impede de aprender – não aprender do orador, mas pela observação, pela investigação da natureza do pensamento, da natureza do cérebro, não o cérebro fisiológico, mas o cérebro que é condicionado.

Antes de tudo, iremos ver por que o cérebro, que evoluiu por milhares de anos, que passou por todo tipo de experiências, agradáveis ou dolorosas, por todo tipo de incidentes e acidentes, se tornou tão limitado. Ele não é limitado no mundo tecnológico. Aí, não é limitado de modo algum: está se movendo com rapidez extraordinária. Portanto, em uma direção, na direção da tecnologia, o cérebro tem poder infinito. Isto é óbvio. O cérebro colocou o homem na Lua, mas inventou coisas terríveis para matar seres humanos. Proporcionou, também ao homem, muito conforto, higiene, comunicação e assim por diante. Mas o cérebro é limitado porque não consegue ir em outra direção, a não ser esta. Ou seja, ele é incapaz, no presente, de se dirigir para o interior. E se ele pode seguir em uma direção com extraordinário vigor – a extraordinária energia que tem sido empregada no mundo tecnológico –, então ele pode também seguir em outra direção, ou seja, não na direção da diversão e entretenimento, mas para o mundo da psique, o mundo psicológico. Então, ele teria capacidade extraordinária, infinita, tanto para o exterior, isto é, no mundo tecnológico, quanto para o interior, no mundo psicológico. Mas nós não temos dado a mesma consideração, nem feito a mesma investigação e questionamento, com a mesma dúvida e ceticismo, para o que somos.

Portanto, investigaremos todo o mundo psicológico, examinaremos por que, depois de todos estes milhares de anos, vivemos em conflito uns com os outros, por que nos tornamos tão miseráveis, infelizes, ansiosos, incertos, hipócritas, desonestos, corruptos, com tanto sofrimento. Este é o nosso mundo interno, o mundo da psique, o reino psicológico, o qual muito poucos investigaram pro-

A Mente Imensurável

fundamente. Os psicólogos, os teóricos, os analistas e os psicoterapeutas não resolveram nossos problemas humanos. Eles escreveram muitos volumes sobre isso, mas ainda somos o que somos. Então, como você investiga algo que é você mesmo, que é a sua consciência? Você é tanto o inconsciente quanto o consciente, o completo reino da atividade interna que dita a atividade externa. Se esta atividade interna não está em ordem, então você cria uma sociedade, como tem feito, que está em total desordem. Você não pode criar ordem externa a menos que haja ordem interna. Não iremos debater agora o que seja ordem, faremos isso depois, mas temos que perceber que este fato, o caos externo, a guerra, a confusão, a brutalidade, a violência, o ódio, é resultado de nossa própria vida, de nossa própria desordem, do conflito em nossa própria consciência, da desordem em nossa vida diária, da desordem em nosso relacionamento com os outros, da perpétua disputa que segue entre os seres humanos.

É possível que toda esta miséria, confusão, conflito, ansiedade e assim por diante tenha um término? Esta questão – se é possível mudar radicalmente o conteúdo de nossa consciência – é muito mais séria do que aquela da guerra nuclear ou da guerra de nêutrons, ou qualquer que seja a guerra. Aí está a crise, não no mundo. Por

J. Krishnamurti

favor, compreenda isso. A crise não está no mundo; não está na guerra nuclear, não consiste nas terríveis divisões e na brutalidade que está ocorrendo. A crise está em nossa consciência, a crise se constitui no que nós somos, no que nós nos tornamos. A menos que enfrentemos esta crise, este desafio, nós perpetuaremos as guerras, a destruição, e haverá caos no exterior.

Tenho curiosidade em saber se percebemos que quando existe uma grande perturbação, incerteza e insegurança externas, nós nos voltamos para a tradição, como o mundo muçulmano está fazendo: eles se voltam ao Alcorão. No mundo cristão, eles se voltam para a Bíblia. Felizmente, no mundo hindu há tantos livros que eles não conseguem se voltar aos livros. Mas eles se voltam à tradição, ao tribalismo. Eles têm agora deuses tribais em toda esquina, porque o mundo se tornou incerto, perigoso, e eles querem pertencer a algum grupo, a alguma seita, a algum deus local. Outro dia, uma européia, que investigou sobre os deuses da Índia, nos disse que há trezentos e trinta mil deuses neste país. Eu suponho que isso seja melhor do que ter um só: você pode se divertir com todos eles.

Agora, como se investiga o mundo psicológico, ou seja, o mundo da consciência? O conteúdo desta consciência consiste naquilo que você é. Isso não é uma afirmação dogmática. Isso não é uma conclusão, mas um fato. O que você é constitui o conteúdo da sua consciência: suas crenças, suas opiniões, suas experiências, suas ilusões, suas superstições, seus deuses, seus medos, seus prazeres, solidão, sofrimento, e toda a grande angústia e medo no tocante à morte. Isto é o que você é. Ou seja, o conteúdo de sua consciência é o que você é. Você pode dividir esta consciência em várias partes, inventar uma supraconsciência, mas ainda é o conteúdo de sua consciência. Você pode meditar, sentar de pernas cruzadas, fazer todas estas coisas, mas isso é parte de sua consciência. E o conteúdo de sua consciência é reunido pelo pensamento. Por favor, examine isso. O orador relata isso o mais respeitosamente; não o jogue fora. Não diga, "Eu não concordo com você" ou "Eu concordo com você". Apenas examine, descubra. Por favor, não se fixe em suas velhas opiniões, conclusões, ou ao que os livros disseram.

Estamos dizendo que o conteúdo de sua consciência é reunido pelo pensamento, pelo pensar – pensar que você é um hindu ou um cristão, um marxista, um maoísta, ou o que quer que queira pensar. O pensamento, que é limitado, trouxe limitação à consciência. Ele pode expan-

J. Krishnamurti

dir a consciência ao achar que ela pode ser expandida, e experimentar a expansão. Mas isso ainda é atividade do pensamento. Sua consciência é atividade do cérebro, com todas as suas respostas sensoriais, o cérebro que é o centro do pensamento. A questão é se o pensamento não trouxe o medo, se o pensamento, que é também um movimento no tempo, não é responsável por todo o conteúdo de nossa consciência. Estamos dizendo que o pensamento é limitado porque é o resultado do conhecimento. É o resultado, o produto final da experiência, o conhecimento armazenado no cérebro como memória, e a resposta a qualquer desafio é pensar. O conhecimento é sempre limitado. Não há completo conhecimento sobre qualquer coisa. O conhecimento científico é limitado. Todo tipo de conhecimento, em qualquer campo, é limitado – biológico, sociológico, tecnológico e também no mundo da religião, com seus deuses. Todos os deuses no mundo foram inventados pelo pensamento. Examine isso, por favor; não o rejeite. O homem inventou todos os deuses na Terra, o pensamento os inventou. E, assim, o pensamento venera aquilo que ele inventou, e isto você chama "religião".

Portanto, o pensamento é limitado, e qualquer que seja sua atividade, é sempre limitado. E sendo limitado,

A Mente Imensurável

deve inevitavelmente criar problemas, não apenas no mundo tecnológico, mas também nos relacionamentos humanos, cuja compreensão é muito mais importante do que o mundo tecnológico. Por que nós, seres humanos, estamos continuamente em conflito uns com os outros, concordando, discordando, acreditando ou não acreditando, existe sempre uma opinião dogmática contra outra, um ideal contra outro. Esta guerra contínua entre seres humanos é criada pelo pensamento. Tendo criado os problemas, o pensamento então tenta resolvê-los, e assim aumenta os problemas, que é o que está realmente acontecendo.

Se isso é visto, não intelectualmente, não como uma ideia ou como uma conclusão, mas como uma realidade, como um fato, então é possível fazer uma pergunta totalmente diferente. O único instrumento que temos é o pensamento. Por favor, compreenda a natureza e o conteúdo do pensamento. O pensamento constitui todas as respostas sensoriais, toda a imaginação, todos os símbolos sexuais, imagens sexuais, o sentimento de depressão, euforia, ansiedade e assim por diante. Tudo isso é o resultado de pensamento limitado, pois o pensamento é o produto do conhecimento limitado; não existe conhecimento completo sobre qualquer coisa. Portanto, se o

J. Krishnamurti

pensamento não é o instrumento para resolver os problemas humanos, qual seria então o instrumento? Esta é uma pergunta muitíssimo importante a se fazer, porque o pensamento é um instrumento desgastado, embotado. Ele pode ser astuto, pode resolver certos problemas, mas criou os problemas nos seres humanos e entre os seres humanos. O instrumento que temos usado para resolver nossos problemas em nossa vida diária, nos relacionamentos, é limitado, desgastado, embotado. A menos que encontremos um novo instrumento, não pode haver mudança fundamental, radical, da psique humana. Iremos, pois, investigar a natureza deste instrumento, sua qualidade, sua estrutura, sua beleza. Mas antes que possamos investigá-la, devemos estar absolutamente certos de que o instrumento que temos agora, o pensamento, alcançou seu limite. Ele não pode resolver o problema do relacionamento humano. No relacionamento humano há conflito, e a partir deste conflito criamos esta sociedade, através de nossa ambição, de nossa brutalidade, de nossa violência.

Deve-se estar absolutamente, irrevogavelmente, certo de que o pensamento não é o instrumento para resolver nossos problemas humanos. Tentamos todos os métodos para resolver nossos problemas humanos: nos

A Mente Imensurável

entregando a certos ideais, a algum guru, a determinados conceitos, a alguma conclusão; nós temos feito todas estas coisas. Temos seguido todo tipo de líderes, políticos e religiosos, e vários pseudogurus. E somos ainda o que somos, levemente modificados, um pouco mais observadores, um pouco mais gentis, mas basicamente, milênio após milênio, somos o que temos sido desde o início dos tempos. E o instrumento que temos tido, que é o pensamento, não pode mais resolver nossos problemas. Espero que isso esteja muito claro. Isso requer grande observação, questionamento, dúvida, e nunca aceitar autoridade – a autoridade de livros, a estrutura hierárquica da sociedade, a autoridade de instituições, a autoridade daqueles que dizem: "Eu sei, você não sabe; eu lhe direi". Uma mente que está investigando a natureza, a qualidade e a estrutura do novo instrumento deve ser inteiramente livre da autoridade.

Portanto, uma mente que esteja investigando algo requer grande sensibilidade, liberdade. Isto demanda um cérebro que seja estável, não verbalmente descuidado. Não sei se vocês têm notado o quão descuidadas são nossas mentes. Vamos de um guru a outro. Especialmente neste país, nós toleramos qualquer coisa: sujeira, miséria, imundície, corrupção, a tradição que está morta e os templos, que são absolutamente sem significado, se espalhando por todo o mundo. Creio que estão construindo templos na América e na Europa. Você observa tudo isso e o absorve. E uma mente, um cérebro, que investiga deve ser extraordinariamente livre e ter grande sensibilidade – que significa observar oticamente, visualmente; ouvir o outro tão completamente que se compreenda de imediato o que está sendo dito; ter simpatia, empatia, o sentimento de cooperação, o sentimento de afeição, o sentimento de amor. Aqui, vocês não obtiveram isso. Mas vocês amam a Deus, adoram ir ao templo, colocar cinzas, venerar algum deus tribal, pois vocês estão amedrontados. E onde existe medo, não há liberdade de investigação.

Então, trataremos o assunto muito seriamente. Isto não é um entretenimento, não é algo para se acercar por um dia e esquecer pelo resto do ano. Estamos falando sobre nossa vida diária, nossos conflitos, nossa solidão, nosso desespero, e nada disso pode ser resolvido pelo pensamento. Assim, qual é o instrumento que resolverá nossos problemas? Não espere que o orador lhe diga. Então o orador se torna seu guru, seu líder, e o orador não quer ser o seu guru, sua autoridade. Mas como dois seres humanos, estamos preocupados com a humanida-

A Mente Imensurável

de porque, afinal, somos parte da humanidade, porque sua consciência, com o conteúdo que há nela, é parte da humanidade. O restante da humanidade tem também a mesma consciência que a sua. Todo ser humano no mundo sofre, é ansioso, inseguro, confuso, solitário, choroso, como você. Sua consciência não é sua; ela é conforme o restante da humanidade. Portanto, você é a humanidade.

Essa não é uma mera conclusão intelectual, lógica, analítica. É um fato para ser sentido, percebido, vivido – que você não é um ser humano separado, você não é um indivíduo. Esta é "uma pílula difícil de engolir" porque todos pensamos que somos indivíduos separados, com nossos próprios pequenos cérebros. É nosso condicionamento pensarmos que cada um de nós é separado, mas nós não somos. Nós somos o resultado de milhares de anos de humanidade, seu sofrimento, sua solidão, seu desespero, suas excitações, sua alegria. O que você pensa, os outros pensam, o grande cientista, assim como o pobre iletrado e o camponês faminto que trabalha da manhã até a noite. Portanto, o pensar não é o seu pensar individual; é apenas pensar. Você pode pensar de um modo, outro pode pensar de modo diferente. Mas ainda é pensar. Logo, o pensar, a consciência,

J. Krishnamurti

é partilhado por todos os seres humanos. Quando você realmente percebe a verdade fundamental disso, então toda a sua atividade muda. Então você se preocupa com toda a humanidade, que significa seu filho, seu vizinho, sua esposa, seu marido, o homem que está a quilômetros de distância.

É melhor encerrarmos esta noite e continuarmos amanhã nossa investigação sobre se existe um tipo diferente de instrumento, um tipo diferente de atividade, que não seja a atividade do pensamento. Não inventem. Vamos descobrir. Não cheguem a qualquer conclusão, mas investiguem, questionem, duvidem, tenham uma mente sutil, uma mente sagaz, um cérebro que seja ativo, não embotado pela tradição, por conclusões, por ideais, de modo que você e o orador possam falar sobre isso, investigar, penetrar nisso muito profundamente.

Chennai, 25 de dezembro de 1982.

A Vida é um Movimento no Relacionamento

Estávamos dizendo que isto não é uma palestra com vistas a trazer informação. Estamos, juntos, tendo uma conversa. Estamos caminhando por uma trilha, com arbustos, com muitas sombras e com pássaros cantando, e sentamos juntos e falamos sobre o problema total da existência, que é muito complexo. Temos sido amigos por muito tempo, e temos muitos dias para falar sobre esse assunto. Não queremos convencer um ao outro, persuadir um ao outro, superar o outro por argumentos, ou nos apegarmos dogmaticamente a nossas próprias opiniões, a nossos preconceitos, mas, em vez disso, iremos juntos olhar para o mundo conforme ele é externamente e para o mundo que está dentro de nós.

Muitos volumes têm sido escritos acerca do mundo externo a nós – o meio ambiente, a sociedade, a política, a economia e assim por diante. Mas muito poucos, que eu saiba, avançaram em profundidade na descoberta do que realmente somos. Por que os seres humanos estão se comportando deste modo, matando uns aos outros, constantemente em conflito uns com os outros; seguindo uma ou outra autoridade, algum livro, alguém, algum ideal; sem um reto relacionamento com seus amigos, com suas esposas, com seus maridos e com seus filhos? Por que os seres humanos, depois de tantos milênios, se tornaram tão vulgares, tão brutais, tão descuidados, sem consideração, sem atenção aos outros, negando todo o processo do que é considerado "amor" – se de algum modo tiveram esta qualidade? Externamente há guerras, com as quais o homem tem convivido por milhares e milhares de anos. Estamos tentando parar a guerra nuclear, mas nunca pararemos as guerras. Não houve demonstrações, em nenhum lugar no mundo, para cessar as guerras, mas eles se manifestam contra uma guerra particular. E estas guerras têm continuado. Pessoas estão sendo exploradas, oprimidas, e o oprimido se torna o opressor.

Este tem sido o ciclo da existência humana, com sofrimento, solidão, um grande sentimento de depressão, ansiedade crescente e total falta de segurança. Não há relacionamento nem com a sociedade nem com as pessoas mais próximas, um relacionamento em que não haja conflito, discussões, opressão e assim por diante. Este é um mundo em que vivemos, o qual estou certo que todos vocês conhecem. Ou estamos inconscientes disso ou

A Mente Imensurável

não queremos saber. A maioria de nós está inconsciente do que está realmente acontecendo, e os cientistas, os biólogos, os filósofos têm sua existência própria, separada do restante de nós. Por milênios, nossos cérebros têm sido condicionados – condicionados pelo conhecimento.

Por favor, não rejeitem nem aceitem qualquer coisa que o orador diz. Questionem, duvidem, sejam céticos e, acima de tudo, não sejam influenciados pelo orador; porque somos tão facilmente influenciados, somos tão crédulos! Se iremos ter uma conversa juntos e falar seriamente sobre estes assuntos, devemos ter uma mente, um cérebro, que seja livre para examinar, livre de qualquer tendência, de qualquer conclusão, de qualquer opinião. Devemos ter um cérebro que esteja constantemente investigando, questionando, duvidando. Somente então, talvez, possamos nos relacionar uns com os outros, e assim nos comunicar facilmente.

Devemos observar as atividades do pensamento, pois vivemos pelo pensamento. Todas as nossas ações são baseadas no pensamento; nossos esforços contemplativos, nossa meditação, nossa veneração e nossas preces são todos baseados no pensamento. O pensamento trouxe a divisão por nacionalidades, que cultiva as guerras; a divisão por religiões, como judeus e árabes, muçulmanos, cristãos, hindus, budistas e assim por diante. O pensamento dividiu o mundo não apenas geograficamente, mas também psicologicamente, internamente. O homem está fragmentado, dividido, não apenas no nível psicológico de sua existência, mas também em sua ocupação. Se você é um professor, você tem seu próprio círculo restrito, e você vive nele. Se você é um homem de negócios ou se é um político, você vive dentro daquela área. Se você é uma pessoa religiosa – no sentido aceito da palavra, realizando várias formas de *puja,* rituais, meditações, venerando algum ídolo e assim por diante –, você vive uma vida fragmentada. Cada fragmento tem sua própria energia, tem sua própria capacidade, sua própria disciplina, e cada parte tem um notável papel em contradizer a outra parte. Você deve saber de tudo isso.

Esta divisão, externamente, geograficamente, religiosamente, nacionalmente, e também a divisão entre si mesmo e o outro são um desperdício de energia em conflito. Nós desperdiçamos nossa energia em discussões, dividindo, cada um perseguindo seus próprios interesses, cada um aspirando, demandando, sua própria segurança pessoal e assim por diante. Toda ação requer energia, todo pensamento requer energia. Esta energia é

A Mente Imensurável

tão constantemente dividida que existe um desperdício de energia. Uma energia contradiz a outra, uma ação contradiz a outra – dizer uma coisa e fazer outra, que é obviamente uma aceitação hipócrita da vida. Todas estas atividades devem invariavelmente condicionar a mente, o cérebro. Somos condicionados como hindus, com todas as superstições, crenças. Vocês conhecem tudo isto – o que um hindu é, o que um católico romano é, o que um protestante é, o que um cristão é, o que um budista é ou o que o mundo islâmico é. Somos condicionados, e não há dúvida sobre isso. Não pode haver argumento de que não sejamos condicionados. Nós o somos, religiosamente, politicamente, geograficamente.

Até que haja liberdade do condicionamento, das atividades do pensamento, que criam grandes problemas, tais problemas não terão possibilidade de solução. É necessário um novo instrumento para resolver nossos problemas humanos. Não cabe ao orador lhes dizer qual é a qualidade deste novo instrumento; cada um deve descobri-la por si mesmo. É por isso que temos que pensar juntos, se pudermos. Isso requer que nós sintamos, investiguemos, busquemos, questionemos, duvidemos de todas as coisas que o homem estruturou, de todas as coisas que criamos como barreiras entre nós. Nós, seres

J. Krishnamurti

humanos, que vivemos nesta bela Terra que está lentamente sendo destruída – esta que é a nossa Terra, não a Terra indiana ou a Terra britânica ou a Terra americana, mas nossa Terra –, temos que viver inteligentemente, alegremente. Mas, ao que parece, isso não é possível, pois somos condicionados. Estamos programados como o computador. Estamos programados para ser hindus, muçulmanos, cristãos, católicos, protestantes. Por dois mil anos, o mundo cristão foi programado, e o cérebro foi condicionado através deste programa, como um computador. Assim, nossos cérebros são profundamente condicionados, e estamos perguntando se somos, de algum modo, capazes de nos libertar deste condicionamento. A menos que sejamos totalmente, completamente, libertos desta limitação, a mera inquirição ou o questionamento sobre o que seja o novo instrumento, que não é o pensamento, não tem significado.

Primeiramente, deve-se começar bem próximo para ir muito longe. Mas a maioria de nós não quer começar bem próximo, porque somos todos idealistas. Queremos ir longe sem dar o primeiro passo, e talvez o primeiro passo seja o último passo.

Estamos nos comunicando uns com os outros? Ou estou falando para mim mesmo? Se eu estou falando

A Mente Imensurável

para mim mesmo, posso fazê-lo em meu próprio quarto. Mas se estamos conversando, tendo uma conversação juntos, esta conversa tem significado quando nós nos encontramos no mesmo nível, com a mesma intensidade, ao mesmo tempo. Isto é amor. Isto é amizade real, profunda. Isto não é uma palestra, no sentido comum da palavra. Estamos, juntos, tentando investigar e resolver nossos problemas humanos. Isto requer muita investigação, porque os problemas humanos são muito complexos. Deve-se ter a qualidade da paciência, que não é temporal. Somos todos impacientes para progredir: "Diga-me rapidamente uma coisa ou outra". Mas devemos ter paciência, ou seja, não tentar alcançar algo, não tentar chegar a algum fim ou algum objetivo, mas investigar passo a passo.

Como dissemos, somos programados. Nosso cérebro humano é um processo mecânico. Nosso pensamento é um processo materialista, e fomos condicionados a pensar como budista, como hindu, como cristão e assim por diante. Portanto, nosso cérebro está condicionado; e será possível nos libertarmos desse condicionamento? Há aqueles que dizem que não é possível, e eles não são estúpidos, mas pessoas muito inteligentes. Eles dizem que não é possível porque o cérebro foi condicionado por muitos séculos, e eles perguntam: "Como pode este condicionamento ser completamente eliminado, de modo que o cérebro humano seja extraordinariamente primordial, original, capaz de infinitas possibilidades?" Muitas pessoas afirmam isso, e elas estão satisfeitas por simplesmente modificar o condicionamento. Mas estamos dizendo que este condicionamento pode ser examinado, pode ser observado, e que pode haver total libertação do condicionamento. E para descobrirmos por nós mesmos se isso é possível ou não, temos que investigar os nossos relacionamentos.

O relacionamento é o espelho no qual nos vemos como somos. Toda a vida é um movimento em relacionamento. Não há na Terra nada vivo que não esteja relacionado com algo. Mesmo o ermitão, que abandona o mundo e se retira em algum local solitário, está em relação com o passado, com aqueles que estão ao seu redor. Não há escapatória do relacionamento. Neste relacionamento, que é o espelho no qual conseguimos nos ver, podemos descobrir o que somos – nossas reações, nossos preconceitos, nossos medos, depressões, ansiedades, solidão, sofrimento, dor, angústia. Podemos também descobrir se amamos ou se não há tal coisa em nós como o amor. Devemos, pois, examinar esta questão do relacionamento, pois é a base da vida. Esta é a única coisa

A Mente Imensurável

que temos. Se não podemos encontrar um reto relacionamento, se vivemos nossa própria estreita vida particular, separadamente da esposa, do marido e assim por diante, essa existência isolada traz sua própria destruição. Portanto, o relacionamento é a coisa mais importante na vida. Se não compreendemos este relacionamento, não podemos criar uma nova sociedade. Você pode ter revoluções físicas, comunista, maoísta ou outras formas de revolução física, mas como tem sido observado na Rússia, onde tem havido uma grande revolução física, o mesmo ciclo antigo se repete. Existe sempre a elite no topo – você conhece todo o negócio.

Logo, o relacionamento é importante. Investigaremos bem de perto o que é o relacionamento e por que os seres humanos, em sua longa existência, nunca tiveram um relacionamento no qual não haja opressão, possessividade, apego, contradição e assim por diante. Por que existe sempre essa divisão, como homem e mulher, nós e eles? Examinaremos isso juntos. Este exame pode ser intelectual ou meramente verbal, que consiste no conceito intelectual sobre que é relacionamento, buscando compreender intelectualmente o que este relacionamento é. Porém tal compreensão intelectual não tem valor algum. É apenas uma ideia, apenas um conceito. Mas se pudermos olhar para o nosso relacionamento como um todo, talvez possamos ver a profundidade, a beleza e a qualidade do relacionamento. Então, estamos perguntando, "O que realmente é o nosso relacionamento atual com os outros, não o relacionamento teórico, romântico, idealístico, que são todos irreais, mas o real, o relacionamento diário de uns com os outros?" Estamos em relação de algum modo? Existe a urgência biológica do sexo; nosso relacionamento é sexual, prazeroso. Nosso relacionamento é também possessividade, apego, várias formas de intromissões uns sobre os outros. E se o examinamos, um fator neste relacionamento é o apego.

O que é o apego? Por que temos essa enorme necessidade de apego? Somos apegados a uma pessoa ou a uma crença ou a alguma forma de conclusão. Quais são as implicações do apego? Se somos apegados a uma pessoa, à esposa, à família, quais são as complicações, qual é a natureza extraordinária do apego? Por que somos apegados? Quando você é apegado a alguma coisa, sempre existe medo, o medo de perdê-la; existe sempre um senso de incerteza. Por favor, observe isso por si mesmo. Existe sempre um senso de separação. Eu sou apegado à minha esposa. Eu sou apegado a ela porque ela me dá prazer sexualmente, me dá prazer como compa-

A Mente Imensurável

nhia. Eu não preciso lhes dizer tudo isso; vocês já sabem, eu não preciso lhes dizer. Eu sou apegado a ela, o que significa que sou ciumento, amedrontado. As consequências do apego são o medo de perder, o ciúme, a ansiedade. Onde existe ciúme, existe ódio. E o apego é amor? Este é um fator em nosso relacionamento.

Em seu relacionamento, cada um, através dos anos, formou uma imagem sobre o outro. Estas imagens criadas um do outro são o relacionamento real. Vocês podem dormir juntos, mas o fato é que você e ela têm uma imagem um do outro. E neste relacionamento de imagens, como pode haver algum relacionamento real, factual, com o outro? Todos nós, desde a infância, temos construído imagens sobre nós mesmos e sobre outros. E estamos perguntando uma questão muito séria: em nosso relacionamento, podemos viver sem uma única imagem? Certamente, todos vocês têm uma imagem do orador, não têm? Obviamente vocês têm. Por quê? Vocês não conhecem o orador, vocês realmente não o conhecem. Ele se senta em uma plataforma e fala, mas vocês não têm qualquer relacionamento com ele porque vocês têm uma imagem dele. Vocês criaram uma imagem dele, e têm sua própria imagem pessoal, de si mesmos. Vocês têm muitas imagens: dos políticos, do homem de negócios, do guru, disso e daquilo. Pode-se viver profundamente sem uma única imagem? A imagem pode ser uma conclusão sobre a mulher de alguém. A imagem pode ser um quadro, imagens sexuais. A imagem pode ser sobre alguma forma de um relacionamento melhor e assim por diante. Por que os seres humanos, afinal, têm imagens? Por favor, faça esta pergunta a si mesmo. Se você puder respondê-la muito honestamente, talvez possa dissolver a imagem que construiu de sua esposa ou seu marido ou seus filhos. Quando você tem uma imagem do outro, esta imagem lhe dá um senso de segurança.

Por favor, examine o que o orador está dizendo porque é muito importante. O amor não é pensamento, o amor não é desejo, o amor não é prazer, o amor não é o movimento de imagens. Enquanto você tiver uma imagem do outro, não existe amor. "Será possível viver sem uma única imagem?" Então você terá um relacionamento com o outro. Da forma como é agora, seu relacionamento com sua esposa ou seu marido é como duas linhas paralelas, nunca se encontrando, a não ser sexualmente. O homem sai do escritório e a mulher moderna também sai do escritório. O homem é ambicioso, ávido, invejoso, tentando alcançar uma posição no mundo de negócios, no mundo profissional e no mundo religioso. E

A Mente Imensurável

a mulher sai também, para ganhar a vida. Eles se encontram na casa deles para criar filhos. E então existe todo o problema da responsabilidade, o problema da educação, ou existe total indiferença. Não interessa a você o que seus filhos são, o que acontece com eles. Você quer que eles sejam como você, que tenham a segurança do casamento, uma casa, um emprego. E a educação condiciona a pobre criança, como vocês, os pais, são condicionados. Este processo tem acontecido por milênios. Essa é a nossa vida, nossa vida diária, e isso é realmente uma vida de sofrimento.

Perguntamos por que os seres humanos vivem por imagens. Todos os seus deuses são imagens: o Deus cristão, o Deus muçulmano e o seu Deus. Eles são criados pelo pensamento, porque o pensamento é incerto, temeroso. Não há segurança nas coisas que o pensamento estruturou. E aquilo que ele criou como imagem, você venera; é um truque que o pensamento aplica. Então, é possível se libertar de nosso condicionamento em nosso relacionamento? Isso significa observar no espelho do relacionamento, atentamente, de perto, persistentemente, o que são nossas reações, se elas são mecânicas, habituais, tradicionais. Neste espelho, você descobre o que você realmente é. Portanto, o relacionamento é extraordinariamente importante. Como você observa o que você é no espelho do relacionamento?

Assim, devemos investigar o que é isso, observar. Suponha que você seja casado: este relacionamento é o espelho no qual você vê o que você é, não teoricamente, mas vê realmente o que você é. Então, como você observa? Como você observa a si mesmo, o que você é, no espelho do relacionamento? O que significa "observar"? É, de fato, outra coisa importante que se deve descobrir. O que significa "olhar"? Quando você olha uma árvore, que é uma das coisas mais bonitas na Terra, mais encantadoras, como você olha para ela? Você já olhou alguma vez para ela? Você já olhou uma Lua nova, a faixa da Lua nova, que é tão delicada, tão fresca, tão jovem? Alguma vez olhou para isso? Você consegue olhar para isso sem usar a palavra "lua"?

Você está interessado nisso tudo? Eu seguirei como um rio que flui. Você está sentado nas margens do rio, olhando para o rio, mas você nunca se torna o rio porque você nunca partilha do rio; você nunca se une àquela beleza de um movimento que não tem nem começo nem fim.

Portanto, considere, por favor, o que significa "observar". Quando você observa uma árvore ou a Lua,

A Mente Imensurável

algo fora de você, você sempre usa a palavra – a árvore, a Lua. Você consegue olhar para a Lua, para a árvore, a flor com todas as suas cores, sem nomeá-los, sem usar uma palavra para identificá-los? Você consegue olhar sem a palavra, sem o conteúdo da palavra, sem identificar a palavra com a árvore ou com qualquer coisa? Agora, você é capaz de olhar para sua esposa, para seu marido, para seus filhos sem a palavra, sem a imagem? Você já tentou fazer isso alguma vez? Não. Quando você observa sem a palavra, sem o nome, sem a forma que você criou sobre ela ou ele, nesta observação não há um centro a partir do qual você observe. Você não tentou olhar nem mesmo para o seu político favorito sem a palavra, sem a forma, sem todas as associações que você tem sobre ele. Você é capaz de olhar para o orador, observá-lo, sem a imagem, sem o nome?

Descubra, então, o que acontece. A palavra é pensamento. O pensamento é nascido da memória. Logo, você tem a memória, a palavra, o pensamento, a imagem interferindo entre você e o outro. Mas aqui não há pensamento no sentido da palavra, no conteúdo da palavra, na significância da palavra. Assim, nesta observação, não existe um centro como "eu" olhando para "você". Só há então reto relacionamento com o outro.

J. Krishnamurti

Nisso existe uma qualidade de amor, uma qualidade de beleza, uma certa sensibilidade. Mas se você tem constantemente uma imagem sobre o outro, não há comunicação, não há amor – não há profundidade para esta palavra. A imagem é o nosso condicionamento.

Nós somos condicionados, somos programados. O mundo cristão tem sido programado por dois mil anos, o mundo muçulmano por mil e quatrocentos anos, e o mundo hindu talvez por três a cinco mil anos. Durante estes períodos, que são chamados "evolução", nossos cérebros têm sido condicionados por um imenso conhecimento, por uma grande experiência. O tempo e o espaço trouxeram a extraordinária qualidade do cérebro. O orador não é um especialista em cérebro. O orador não quer ser um especialista de nenhum tipo, nem mesmo um especialista religioso. Mas você pode observar a atividade do seu próprio pensamento. Quer dizer, o pensamento observar a si mesmo, não você observar o pensamento – você vê a diferença? Porque você é estruturado pelo pensamento. Sua forma, seu nome, sua nacionalidade, suas qualidades, seus medos, suas ansiedades, suas tendências peculiares e assim por diante são agregados pelo pensamento. Esta é sua consciência. Os psicólogos, nos é dito, não acreditam em consciência.

A Mente Imensurável

Eles veem apenas a matéria e a reação à matéria, a sensação e o ajustamento à existência atual. Eles dizem que se você é ligeiramente neurótico, isto seria o resultado de várias causas, e que se você remover estas causas, você se ajustará à sociedade atual – à miséria atual. E estamos dizendo que nosso condicionamento é profundo e que, para compreendê-lo, devemos compreender a natureza do esforço.

Você não está cansado? Deveria estar, porque você está cooperando ativamente nisso, seu cérebro deve estar ativo, questionando, perguntando, olhando, experimentando enquanto prosseguimos, agora, não amanhã. Tudo isso significa atenção, cuidado, observação, e então você deve estar cansado. Mas eu prosseguirei.

Por que os seres humanos pelo mundo vivem em perpétuo conflito? Por favor, faça esta pergunta a si mesmo. Você está em conflito. Sua meditação é conflito. Sua veneração é conflito. Você tem vários deuses que estão em conflito uns com os outros e com você. Por que os seres humanos pelo mundo vivem em constante luta, dor e conflito? O que é o conflito? Qual é a causa do conflito? Onde existe uma causa, esta causa tem um término. Se eu tenho uma causa para a dor, se eu tenho câncer, o médico examina a causa e o sintoma, que é a dor. Então esta causa pode ser removida, ou pode ser terminal. Portanto, onde existe uma causa ou causação, deve haver um término a esta causação. Assim, descubra por si mesmo qual é a causa do conflito pelo qual o homem tem vivido por tempos imemoriais. Não espere que o orador lhe diga. Vá dentro de si mesmo, como estamos fazendo agora. Descubra qual é a causa deste conflito externo e interno.

Haveria uma só causa, ou são muitas? Se há muitas causas, podemos examiná-las, e lentamente resolver cada uma delas. Ou pode haver apenas uma causa. Portanto, haveria muitas causas para o conflito? Ou existe apenas uma causa? Uma das causas pode ser sua constante tentativa de se tornar alguma coisa: "Eu sou isto, eu devo ser aquilo"; "Eu sou ambicioso, e espero não ser ambicioso". Isto é, me tornar algo diferente do que sou: "Eu não sou bonito, mas me tornarei bonito"; "Eu sou violento, mas me tornarei não violento". Assim, o vir a ser é um processo de evolução. Todo vir a ser – o atendente se tornando o gerente, e o gerente se tornando o diretor – é um processo de tempo, que é evolução do inferior para o superior. Você planta uma semente e ela se torna uma grande árvore, que é a evolução daquela planta, daquela árvore.

A Mente Imensurável

A evolução é uma das causas do conflito? Ou seja, eu sou violento e eu espero me tornar não violento. O vir a ser a partir de *o que é* consiste no processo de evolução, que requer tempo, espaço. E estamos perguntando, "A evolução – este movimento de *o que é* para *o que deveria ser*, que é o movimento da evolução – será uma das causas do conflito?" O tempo é um dos fatores do conflito?

E a dualidade seria uma das causas do conflito? Ou seja, existe a dualidade, como claro e escuro, homem e mulher, no mundo externo, físico. Existe dualidade entre uma roupa boa e uma roupa ruim, entre um material bom e um material ruim, entre um carro bom e um carro ruim. Obviamente, existe uma diferença fisicamente. E estamos perguntando: "Internamente, psicologicamente, existe alguma dualidade?" Eu sou violento; quando tento me tornar não violento, existe a dualidade. E estamos perguntando, "Há conflito enquanto existe a dualidade?" E por que temos dualidade psicologicamente, internamente? Eu sou violento, e acho que não devo ser violento, e então eu invento uma ideia chamada de não violência, que está na moda neste país. Esta moda de não violência está se espalhando por todo o mundo, que não tem significado algum, obviamente. Porque violência é o fato; é real. A não violência é ficção. Existe apenas *o que é*, e não *o que deveria ser*. Portanto, se percebermos que a realidade consiste em *o que é* e não em *o que deveria ser*, então pode-se dispensar *o que deveria ser*. Assim, não há dualidade. No momento em que existe a ideia "eu não devo" ou "eu deveria" ou "eu irei", apartada de *o que é*, certamente há conflito.

Pode-se realmente perceber, por meio do intelecto, que, psicologicamente, internamente, não há oposto, apenas *o que é* ? Quando existe apenas *o que é*, você lida com *o que é*, e não com *o que deveria ser*. Eu sou violento, e esta ideia de não violência é fictícia, é hipócrita. Não tem valor algum porque, no vir a ser não violento, estou plantando as sementes da violência o tempo todo. E assim há somente violência. Agora, o que é violência? Qual é a natureza e estrutura da violência? Não é apenas ficar irritado, agredir alguém, matar alguém; é a matança não apenas de seres humanos, mas também de animais, da natureza. Violência é também imitação, conformidade, tentar ser algo que você não é. Pode-se olhar para esta violência com todo o conteúdo desta palavra – não apenas a raiva física ou a expressão física daquela raiva, mas todo o conteúdo daquela palavra – e considerá-la? Apenas considerar esse sentimento, olhar

A Mente Imensurável

para ele, e não se afastar dele, sem o suprimir nem escapar dele, ou transcendê-lo, mas apenas olhar para ele como se olharia para uma joia preciosa. E quando você olha para ele, você o vê como algo separado de você? Ou aquilo que você observa é o que você é?

Eu sou violento. Esta violência, eu disse, não é diferente de mim. Portanto, eu tento mudá-la para alguma outra coisa; mas esta violência sou eu; eu não sou diferente da violência. A ambição é parte de mim. Eu não sou diferente da ambição, da inveja, do ódio ou do ciúme. O sofrimento sou eu. Mas eu separei de mim a raiva, o ciúme, a solidão, o sofrimento, de modo que eu possa controlá-los, moldá-los, fugir deles. Mas se isso sou eu, não posso fazer nada a não ser observá-los. Assim, o observador é o observado, o pensador é o pensamento, o experimentador é o experimentado. Os dois não estão separados.

Logo, onde há divisão, deve haver conflito. Se eu sou separado de minha esposa psicologicamente, existe tendência ao conflito. Portanto, o tempo, a evolução e o senso do oposto são os fatores do conflito. Todos estes fatores são o "eu". Por isso, o "eu", em essência, é a causa do conflito. Se questiono como me tornar livre do "eu", essa é uma pergunta equivocada. Mas observe o completo movimento do conflito, não o traduza, não tente compreendê-lo, mas apenas observe, como se observa o maravilhoso movimento dos céus, do oceano. Então, ele lhe exprime todo seu conteúdo sem você analisá-lo. Uma mente, um cérebro, que está em conflito psicologicamente deve inevitavelmente trazer desordem a si mesmo e, por conseguinte, externamente. Então, é possível que os seres humanos sejam totalmente, completamente, livres do conflito? Quando há essa liberdade, existe ordem, existe amor, compaixão, e essa compaixão é inteligência.

Chennai, 26 de dezembro de 1982.

Sobre o Tempo

Temos conversado juntos sobre nossos problemas diários, não sobre teorias, nem sobre uma filosofia especulativa ou sobre alguma vida romântica, imaginária. Temos dialogado, em uma conversa entre duas pessoas, sobre o complexo processo de nosso viver, desde o momento que nascemos até quando morremos. Conversamos sobre se é de algum modo possível viver sem um único conflito em nosso relacionamento com os outros, seja íntimo ou distante. Tratamos essa questão muito cuidadosamente – se, no mundo moderno, com todas as coisas terríveis que estão acontecendo, é possível que os seres humanos vivam em um relacionamento com os outros sem uma única sombra de conflito. O conflito traz desordem, e enquanto cada um de nós viver em desordem, não poderemos, de modo algum, trazer uma revolução psicológica radical na estrutura da nossa sociedade.

Nesta noite, devemos conversar sobre os complexos problemas do tempo, do desejo, do medo, do prazer, e se o sofrimento, que é o fardo do homem por todo o mundo, tem um término. O orador não está lhe direcionando no que pensar ou em concordar com o que ele está dizendo, mas estamos juntos tratando deste problema. Não que você ouça o orador e concorde ou discorde, mas juntos, você e o orador, iremos investigar a natureza do tempo porque é muito importante compreendê-lo. Devemos também investigar o desejo, que é muito complexo. E devemos conversar sobre se haverá um fim para o sofrimento, porque aonde há sofrimento não pode haver amor, não pode haver compaixão, não pode haver inteligência.

Portanto, é importante que você e o orador se encontrem no mesmo nível, ao mesmo tempo, com a mesma intensidade. De outro modo, não haverá possibilidade de comunicação. Espero que isto esteja claro: para compreender o outro, compreender com seu coração, não com seu intelecto – que é necessário –, para encontrar o outro, como o orador, deve haver uma comunicação que não seja meramente verbal, mas uma comunicação que venha da mente no coração, a inteligência no coração. A palavra "coração" não significa simplesmente o órgão físico, mas ter a mente no coração, o que é uma coisa extraordinária. A maioria de nós escuta palavras, ideias; concordamos ou discordamos, analisamos, especulamos e assim por diante. Mas nunca nos encontramos, ao mesmo tempo, no mesmo nível, com a mesma intensidade.

A Mente Imensurável

Quando há esse encontro, então há comunicação real, profunda. Assim, as palavras se tornam sem significado, embora tenham de ser usadas. E elas têm significados definidos. A construção de uma frase, de uma sentença, deve naturalmente ser gramatical; mas, para encontrar o outro na comunicação, não deve haver barreira. Isto significa que você e o orador não devem ter preconceitos, nenhuma tendência, não devem estar comprometidos com qualquer filosofia, com qualquer conclusão, mas encontrar o outro na liberdade. Isso requer muita inteligência, muita inquirição.

E espera-se que nesta noite nos encontremos no mesmo nível. Porque o orador não tem autoridade. Ele não está lhe dizendo o que você deveria fazer com sua vida. Mas quando estamos juntos, debatendo, tendo um diálogo sobre um problema, este problema é interesse de ambos, tanto do orador quanto sua. É sua preocupação tanto quanto do orador. Encontrar meramente no nível verbal, como faz a maioria de nós, tem muito pouco significado, pois estamos interessados na revolução psicológica, não na revolução física, mas sim com a mudança psicológica, interior, uma mudança radical, fundamental. Temos vivido por milênios com sofrimento, dor, ansiedade, medo, solidão, desespero e a busca do errante dese-

J. Krishnamurti

jo. Também o homem sempre perguntou se há um cessar do tempo.

O que é o tempo? Fundamentalmente, o tempo significa divisão, distribuição, evolução, aquisição; mover daqui para lá; esta constante divisão do ontem, hoje e amanhã; o nascer do Sol, o pôr do sol, e a Lua cheia de uma noite agradável. O tempo é um assunto muitíssimo complexo. E para compreendê-lo, é preciso paciência. A paciência é atemporal. Somente a impaciência tem tempo. Assim, para investigar a natureza do tempo, deve-se ter muita paciência, não impaciência, e não dizer, "Eu compreendo o que você está falando, vamos prosseguir com isto". Vivemos pelo tempo. Dividimos nossa vida em um movimento no tempo. Movimento é tempo. Ir daqui para lá requer tempo. Aprender uma língua requer tempo. Acumular conhecimento, experimentar, ter prazer, aguardar ansiosamente por algo como medo ou prazer, as memórias do passado, ou muitos passados encontrando o presente, se modificando e se movendo para o futuro – tudo isto é tempo. Para um atendente se tornar o gerente, para se obter qualquer habilidade, requer tempo. O desejo de experimentar algo além das experiências comuns e a busca por isso também é tempo.

A Mente Imensurável

Agora, existe de algum modo o tempo psicológico? Ou seja, sendo violento, tornar-se não violento requer tempo? A busca por um ideal requer tempo. Tempo significa evolução, tanto física quanto psicológica. Alguém imagina ou tem a falácia de que irá evoluir para algo totalmente diferente de *o que é*. Tudo isso implica tempo – o tempo para realizar, para se tornar iluminado – e o orador está questionando isso.

Portanto, devemos compreender juntos, não verbalmente, o sentido do tempo. Tempo é memória – o passado, como o observador viu o que estava acontecendo, traduzindo-o em sua própria condição, sua própria experiência e assim por diante. Assim, precisamos de tempo, tendo em mente que o tempo significa essencialmente divisão, que implica distribuição; o tempo que se precisa para aprender uma habilidade. O cientista precisa de muito tempo para investigar a matéria, a astrofísica. Então, imaginamos que o tempo seja necessário para mudanças externamente e que os seres humanos, que se dividiram em nacionalidades, eventualmente se tornarão internacionais e gradualmente dispensarão todas as nacionalidades e terão um relacionamento global. Achamos que isso requer tempo e que devemos evoluir para isso. Portanto, o tempo é, fundamentalmente, um processo de divisão.

J. Krishnamurti

Externamente, fisicamente, o tempo é necessário, como a semente que requer tempo para florescer como uma grande árvore. Existe uma árvore na Califórnia que tem mais de cinco mil anos de idade. Para chegar a esta idade, ela deve ter passado por muitas chuvas e tempestades, fogos e raios, que é crescimento no tempo. Vemos que externamente, fisicamente, precisamos de tempo – tempo para adquirir conhecimento, que consiste no processo de acumulação do aprendizado de matemática, física, ou aprender como voar um daqueles jatos. Tudo isso requer tempo. Não se pode escapar desse tempo ou tentar descobrir a cessação desse tipo de tempo; isso seria tolo e sem nenhum sentido. Através de trabalho diligente, um atendente ou um trabalhador pode se tornar um gerente ou um dirigente. Tudo requer tempo. Ir daqui para lá, uma planta crescendo para se tornar uma grande e magnífica árvore, as estações do inverno, primavera, verão e outono – tudo isso é a divisão do tempo.

Agora investigaremos se há tempo psicológico de algum modo, o tempo que achamos que seja necessário para mudar de uma resposta psicológica ou sensorial para outra. Achamos que o tempo é necessário para sermos livres da violência, para sermos livres da inveja: "Eu sou invejoso, mas me dê tempo para eu me livrar

A Mente Imensurável

disto". Estamos questionando se existe tempo psicológico de algum modo. Não estamos falando da necessidade de tempo físico. Para construir uma casa, você precisa de tempo. Para ser instruído, é preciso tempo. Mas estamos investigando algo muito mais importante, muito mais essencial, porque estamos condicionados à ideia ou ao conceito ou à ilusão de que é necessário tempo para ir de *o que é* para *o que deveria ser*. Estamos questionando se o tempo é necessário de algum modo para uma mudança radical.

Dissemos que o tempo é divisão – divisão entre "eu sou" e "eu deveria ser". O "eu deveria ser" requer tempo. Estamos questionando a esse respeito. Estamos perguntando, "Existe tal coisa como vir a ser alguma coisa ou experimentar alguma coisa?" A iluminação, da qual muitos falam, requer tempo? Estamos questionando a coisa mais fundamental. Toda a nossa filosofia, todos os livros que você lê, os livros assim chamados "sagrados", que não são mais sagrados do que qualquer outro livro, dizem que o tempo é necessário, que você deve seguir várias disciplinas, várias práticas, para chegar perto do que quer que você goste de chamá-lo: Deus, uma experiência que está além de toda medida, um estado de mente que não foi tocado pelo tempo.

J. Krishnamurti

Então, devemos avançar bem de perto nesta questão, sobre se existe tempo psicológico de algum modo. No momento em que você admite que existe o tempo psicológico, tempo como divisão, deve haver conflito. Somos violentos e achamos que devemos ser o oposto. Quando há o oposto, deve haver divisão e, portanto, deve haver conflito. E o tempo é a causa do conflito. Eu sou ambicioso, e ser não ambicioso toma tempo. Então, aonde surge o tempo, deve haver conflito, e o vir a ser algo é interminável. Estamos perguntando, "Existe um término à violência na qual não existe tempo de modo algum?" Nós aceitamos o tempo, a divisão, como um meio para o término do conflito. Estamos dizendo exatamente o contrário. Onde há divisão como o "eu" se tornando algo, vindo a ser algo nobre ou o que seja, esta própria divisão é o processo do tempo. E existe essa divisão de algum modo? Eu sou violento; esse é o único fato que tenho. O outro, a não violência, não tem realidade. É apenas um conceito, uma estrutura do pensamento que não pode compreender ou fazer cessar a violência. Isto é um processo de escape – o ideal. Vocês são cheios de ideais, mas nunca, sob qualquer circunstância, alcançam os ideais, pois eles ainda são invenção do pensamento. "Eu sou isto, eu serei aquilo" – isto é mensuração. Tudo

A Mente Imensurável

isso implica tempo psicológico. Esta é a ilusão na qual vivemos. Estamos questionando a realidade disso. Existe apenas *o que é*, existe apenas a ambição, existe apenas a violência, existe apenas a guerra.

Seguiremos nisto muito cuidadosamente. Eu sou violento (quando digo "eu", quero dizer toda a humanidade). Você é violento, os seres humanos são violentos. Não seria importante descobrir se isso pode terminar imediatamente ao invés de dizer, "Eu devo me tornar não violento"? Quando você "se torna" não violento, significa que é por um período. Durante este período, você está plantando as sementes da violência – o que é tão óbvio. Portanto, é possível extinguir imediatamente a violência ou a ambição ou o que queira, acabar com a totalidade da violência? O que é a violência? Não é simplesmente a raiva, causar dano a outro, odiar, criticar ou ferir o outro; imitar, conformar-se é também violência. Este é o movimento completo da violência. É possível eliminar totalmente este movimento? Para descobrir, deve-se compreender o tempo como divisão. Eu dividi, e o pensamento fez a divisão entre *o que é* e *o que deveria ser*. "Eu sou ignorante – não no sentido acadêmico –, mas algum dia eu serei iluminado." Estamos, pois, perguntando se é possível acabar imediatamente com a violência, a ambição ou o que queira, de modo que nunca retorne.

Vocês não estão interessados em descobrir? Se estão interessados, o que vocês me dariam? Se você compra alguma coisa, você deve dar outra coisa. Você deve dar dinheiro, deve fazer um gesto, deve fazer alguma coisa, não apenas dizer, "Sim, eu quero acabar com isso". Significa que, para acabar com isso, você deve pensar, você deve trabalhar, você deve estar apaixonado por isso, e não apenas dizer sim, casualmente. É por isso que o orador disse no começo que devemos nos encontrar no mesmo nível, ao mesmo tempo, com a mesma intensidade. Então podemos nos comunicar profundamente, não verbalmente, mas com a mente no coração, o que significa inteligência operando com amor.

Como você observa a violência? A violência é uma resposta sensória. Você me feriu, e eu estou machucado; minha imagem sobre mim mesmo foi ferida. Você pode não ter me ferido fisicamente, mas me machucou internamente, porque eu tenho uma imagem sobre mim mesmo como um grande homem ou como algum professor. Esta imagem foi ferida. Para superar este ferimento, eu digo, "Dê-me tempo". Eu trabalho em não ser ferido. Eu digo, "Eu estarei consciente, eu terei cuidado, eu escutarei cui-

A Mente Imensurável

dadosamente" e assim por diante. Tudo isso é um esforço que é trazido pela divisão do tempo. Portanto, será possível eliminar tão completamente a violência de modo que ela nunca retorne? É por isso que estamos perguntando, "Como você olha, percebe, a violência?" Como você olha para uma árvore, a Lua, as estrelas, os céus e a beleza de uma noite? Como você olha para eles? Como você olha para sua esposa, o seu marido ou o seu amigo? Você olha para sua esposa ou seu marido com as memórias que você teve, com as feridas acumuladas, os prazeres acumulados, o senso de companheirismo, tudo armazenado no cérebro como memória? Você olha para sua esposa e seu marido com estas memórias? Memória é tempo. Assim, onde existe tempo, deve haver divisão. Portanto, você tem discussões de tempos em tempos em seu relacionamento com o outro, e toda a consequência disso.

Logo, é da maior importância descobrir como observar. Como você observa uma árvore, que é uma das coisas mais bonitas da Terra? Como você olha para ela? No momento em que você usa a palavra "árvore", você não está olhando. A palavra, a lembrança, o impede de olhar. Você quer olhar para sua esposa. Provavelmente você nunca olhou para ela. Você tem olhado para ela como sua esposa, sua posse, seu prazer, sexualmente e de outros modos. Você tem olhado para ela com todas as memórias dos últimos dez dias, dez anos ou cinquenta anos. E estas memórias vêm entre ela e você, e ela também tem memórias. É muito importante descobrir se é possível olhar para sua esposa ou marido, para a árvore ou para a Lua ou para as águas correntes de um grande rio sem a palavra, sem o nome, que é o passado. Você consegue olhar para a violência ou ambição ou para o que queira sem a palavra? No momento em que você usa a palavra "violência", você já a colocou no tempo. No momento em que você usa a palavra que usou mil vezes antes, a própria palavra é o fator do tempo. Portanto, você já trouxe uma divisão.

Agora, você é capaz de observar sua esposa, seu amigo ou o orador sem nenhuma imagem? Consegue? Você consegue olhar para sua esposa, para uma árvore, uma flor, sem o movimento do pensamento? O movimento do pensamento é tempo. O pensamento divide, como o tempo divide. Quando você olha, está olhando sem o observador que é o passado, a palavra, a memória. O passado divide, e o passado é tempo. Assim como você vê a si mesmo em um espelho que é físico, é no espelho do relacionamento que você olha para si mesmo. Aí você pode perceber todo o movimento do pen-

A Mente Imensurável

samento, cada movimento de reação. Assim o perceptor é o percebido, o analisador é o analisado. Eu quero experimentar algo extraordinário. Estou entediado com todas as experiências que tive – sexo, prazer – e quero experimentar algo "ultra", algo além de todo pensamento. O experimentador projetou o que quer experimentar; portanto, o experimentador é o experimentado.

Uma mente que não demanda experiência é totalmente diferente. Por isso, você deve aprender como escutar, como observar. Não acumular, mas apenas escutar, apenas observar sem todas as memórias. Então você verá que naquilo que você observa, que é violência, não há divisão entre o observador e o observado. O observador é a violência. Quando você está bem alerta, olhando, observando, é como colocar uma grande luz naquela coisa que você está observando. E ela desaparece totalmente, para nunca retornar.

Agora devemos falar sobre o que é o desejo. Porque o tempo, o desejo e o pensamento são os maiores fatores do medo. O que é desejo, qual a natureza inconstante do desejo, desejo que nunca está contente, desejo que todas as religiões disseram que deveria ser suprimido? Por que todos os líderes religiosos do mundo e todos os livros disseram que você deve suprimir o desejo; que o desejo por

J. Krishnamurti

Deus, pela iluminação, é perfeitamente correto, mas você não deve desejar uma mulher, desejar uma casa, desejar as coisas agradáveis da Terra, a beleza de uma pintura, a beleza de uma estátua, um poema de Keats, pois tudo isso lhe desviará, o conduzirá à tentação? E aprendemos pelas idades a arte de suprimir o desejo ou de se submeter ao desejo. Então entraremos nesta questão do desejo.

    O que é o desejo? O objeto cria o desejo, ou o desejo existe e os objetos variam? Você deve ser bem claro neste ponto. Você vê um belo carro, uma bela camisa, uma casa bonita, uma bela pintura. O objeto – a pintura, a casa, o carro, a mulher, o homem – cria o desejo, ou o desejo existe, não importando os objetos? Se o objeto cria o desejo, então é uma investigação totalmente diferente. Mas o desejo existe, e também a inconstante natureza do desejo – de um objeto para outro. Portanto, devemos examinar juntos o que é o desejo. Qual é a origem, o começo do desejo? Não como controlar o desejo, como suprimi-lo, transcendê-lo e assim por diante, mas qual é o começo? Se podemos compreender a origem, a fonte, do desejo, então podemos lidar com ele. Mas se não descobrirmos a origem, o começo, então estaremos simplesmente aparando os galhos do desejo.

A Mente Imensurável

Vivemos pela sensação. Nossas respostas sensoriais, reações, são a atividade da sensação. Eu vejo você bem vestida, limpa, saudável, bonita, ou o que quer que seja. O ver é o começo das respostas sensoriais. O ver, observar, contatar, e a sensação são as respostas dos sentidos. Então o que acontece? Eu vejo uma casa bonita, um belo chalé nas montanhas, magnificamente construído e fortificado. Eu o vejo, entro em contato, e dele surge a sensação. Então o que acontece? Eu vejo uma bela mulher ou um belo homem. O próprio olhar da beleza de uma face bela, limpa, inteligente é uma sensação. Então, o que ocorre? Você vê uma estátua bonita, que foi criada com amor e com habilidade. Enquanto você a vê, surgem sensações, e você a toca. Então o que acontece? Por favor, ouçam, descubram por si mesmos. Em seguida, o pensamento se introduz e diz, "Como é bonita! Eu gostaria de ter esta estátua em meu quarto"; "Eu gostaria de estar naquele carro"; "Eu gostaria de ter aquela casa". Neste momento em que o pensamento assume o controle da sensação, neste exato momento, nasce o desejo.

A sensação é normal, saudável, vital; de outro modo, você estaria morto. Suprimir a sensação significa que você está morto, e provavelmente isso foi o que aconteceu aqui neste país. Você lê a *Gita*[7], os *Upanixades*[8] e todos os livros sagrados, você segue um guru após o outro, disciplina seus desejos, controla, reprime, foge e assim por diante. Entretanto, estamos dizendo algo totalmente diferente. Acompanhe um pouco isto: existe a sensação e, em seguida, a associação imediata do pensamento com o objeto, ou seja, a sensação de ver o carro e o pensamento dizendo então, "Como seria bom se eu me sentasse lá". Aí o desejo começa. Agora, é possível para o pensamento não interceder, não dizer imediatamente, "Eu devo me ver naquele carro"? Existe um hiato, um intervalo, entre a sensação e o pensamento assumindo imediatamente o controle, de modo que haja uma lacuna? Se existe um espaço, o que acontece? Isto requer habilidade e atenção extraordinárias – ver onde as sensações são importantes. Porque se seus sentidos não estão despertos, você não consegue ver a beleza da Terra, do movimento do mar. Portanto, as sensações, as respostas sensoriais, são essenciais para a vida; mas quando o pensamento controla, molda, dá identidade à

---

[7] *Bhagavad-Gita - A Canção do Senhor* – Editora Teosófica, Brasília, 2010. (N.E.)

[8] *O Chamado dos Upanixades*, Rohit Mehta – Editora Teosófica, Brasília, 2009. (N.E.)

A Mente Imensurável

sensação, então naquele exato momento o desejo nasce. Podemos descobrir, sem controle, sem supressão, apenas ver como o pensamento está agindo sobre a sensação, apenas ver, mesmo verbalmente, mesmo intelectualmente? Mas para penetrar nisso muito profundamente, você deve ter tal estado de alerta, tal cuidado, tal atenção e amor, para ver como o desejo nasce. Então você deve ver o que é o pensamento, como o pensamento transforma toda a vida em um problema. Também, o pensamento é um movimento, um movimento material. Talvez você não tenha investigado ou se aprofundado nisso. Você pode ler sobre isso em livros profissionais, mas pode observar em si mesmo, o que é muito mais excitante, muito mais real, porque então você está lidando com algo factual. O pensamento é limitado, pois todo conhecimento e toda experiência são limitados. O pensamento surge da experiência, do conhecimento, da memória. E todo este processo é limitado. Não há conhecimento completo sobre qualquer coisa; nunca pode haver. A ciência e a tecnologia estão sempre adicionando mais e mais.

Assim, o tempo, o desejo e o pensamento são os fatores do medo. Eu temo o que possa me acontecer porque eu tive um acidente há uns dias ou um ano, e receio que possa acontecer novamente; sou cuidadoso. Existe o medo. Tenho medo do escuro, tenho medo da esposa ou do marido, tenho medo do patrão. Vocês todos não têm medo? Não têm? Não fiquem envergonhados. Isso é muito comum aos homens. Você pode não querer reconhecer o medo, você pode não querer encará-lo, mas você teme. O medo faz coisas terríveis aos seres humanos. Mentalmente, psicologicamente, ele limita, restringe. Ele torna os seres humanos dependentes da autoridade, de algumas ideias, e eles se tornam muito dependentes, muito apegados. Não estamos falando sobre os muitos fatores, as muitas expressões do medo, mas sobre o medo em si. Não o medo de sua esposa ou marido, o medo de perder o emprego, o medo de dores passadas, na esperança de que nunca ocorram novamente. Não estamos falando dos vários aspectos do medo, mas sobre sua raiz.

Qual é a raiz do medo? Não é o tempo e o pensamento? Ou seja, eu sou um atendente, posso nunca me tornar um gerente. Sou apenas um discípulo, posso nunca me tornar um guru. Sou ignorante no sentido profundo da palavra. Não ignorância sobre livros – não estou falando a esse respeito. A ignorância profunda consiste em eu não conhecer a mim mesmo inteiramente. Isto é ignorância – o movimento que é "eu", que não tem começo e talvez não tenha fim. Para compreender esta

A Mente Imensurável

ignorância profunda, imagino que preciso de tempo e também de experiência, acumulação, reencarnação e todo o resto. Portanto, existe medo. Estamos, pois, perguntando-nos, "Qual é a raiz de tudo isso? Por que o homem, através das idades, desde o início dos tempos, tem carregado este fardo do medo?" Ele não tem sido capaz de resolvê-lo. Ele pode ir a todos os templos, a todas as igrejas, a todos os gurus, tentar vários sistemas de meditação, mas o medo está sempre lá. Ele pode estar cego e querer fugir disso, mas o medo está sempre lá, de uma forma ou outra.

Estamos perguntando, "Qual é a raiz de tudo isso?" A raiz é o tempo e o pensamento. Obviamente. Eu tive uma dor há duas semanas, e temo que ela possa retornar, o que é tempo. O tempo é a recordação daquela dor e o medo de que ela possa acontecer novamente. E existe medo em esperar que não aconteça novamente. Minha esposa me feriu, como eu a tenho ferido, não fisicamente, mas internamente, e espero que ela não me magoe mais por uma palavra ou um gesto ou uma lágrima. E eu tenho medo que ela possa me ferir. Portanto, medo é tempo e pensamento.

Se você compreender a natureza do tempo e do pensamento, e o movimento e a inconstância do desejo,

J. Krishnamurti

compreender no sentido de ver a verdade disso instantaneamente, não a conclusão verbal a esse respeito, mas o fato, a realidade, a profundidade e a intensidade disso; se você olhar para o fato bem claramente, então nunca irá perguntar como o medo pode acabar. Nem perguntará, "Posso controlar o pensamento?", ou "Como posso deter o pensamento, que é a causa do medo?" Você nunca fará estas perguntas porque você não pode perguntar sobre o que você realmente já vê como verdade.

Está lá. Está lá para você ver, não para aceitar, argumentar, analisar, discutir, tomar partido; você não pode. É como ver a coisa mais bonita da Terra; está lá. Como uma mente admirável; está lá. Como um coração que está transbordando; está lá. Se você vê, então o medo cessa. E onde existe o término do medo, não há Deus. É a partir do nosso medo, a partir do nosso desejo, que inventamos deuses. Um homem no qual não existe medo, nenhum medo, é um ser humano totalmente diferente, e ele não precisa de Deus[9].

---

[9] "Eu nunca disse que não há Deus. Tenho dito muito claramente. Para descobrir se há ou não há Deus, é necessário abolir, apagar da mente todo e qualquer conceito relativo a Deus. [...] Precisais apagar da mente todas as 'informações' que tendes a respeito de Deus.[...] As pessoas que vos deram tais 'informações' podem estar muito enganadas; tendes de descobrir tudo por vós mesmos."(KRISHNAMURTI, J. A Mutação Interior. São Paulo: Cultrix, 1976. p. 69)

A Mente Imensurável

Portanto, senhoras e senhores, deem seu coração para considerar tudo isso, não sua mente, nem seu intelecto. O intelecto tem seu lugar, mas quando estamos examinando algo muito seriamente, o coração deve entrar em sua consideração. Quando o coração entra, ou seja, quando existe amor para observar, o amor de considerar, de ver, quando você vê a verdade do desejo, do tempo e do pensamento, então não há medo de modo algum. Só então pode haver amor. Medo e amor não podem estar juntos. Medo e prazer podem seguir juntos, mas não amor e medo.

Chennai, 1º de janeiro de 1983.

A Meditação é uma Expressão da Atividade Diária

Ontem nós falamos sobre o medo, a natureza do medo, e o que faz o medo surgir. Dissemos que o tempo, o desejo e o pensamento são as causas contribuintes do medo. O homem tem vivido com o medo, e vivemos com o medo agora – medo do passado, medo do futuro, sobre o que irá acontecer com o homem. Certamente, o futuro do homem é o que ele é agora. Isto é tão óbvio. Se ele não mudar radicalmente – não a sociedade, não as várias formas de governo, mas psicologicamente, internamente –, o futuro será o que ele é agora. Isto é garantido porque haverá mais guerras, mais instrumentos de guerra, mais destruição, mais violência, mais fragmentação dos seres humanos em nacionalidades e assim por diante. O futuro será o que somos agora. E dissemos, durante todas estas conversas, que é urgentemente necessário trazer uma revolução psicológica, e não mover de uma forma, um sistema ou uma ideia para outra. Para os seres humanos, que têm vivido neste belo planeta Terra por tantos milênios, é possível mudar? E nesta noite devemos conversar sobre se o sofrimento pode terminar,

A Mente Imensurável

sobre o que é amor, o que é compaixão e o que é inteligência. Devemos falar também sobre o significado da morte e toda a questão da meditação.

Temos vivido com sofrimento por gerações – a angústia, o sofrimento da solidão, o sofrimento da grande ansiedade, o sofrimento de não haver relacionamento adequado com o outro, o sofrimento de uma mãe, de um pai ou de uma esposa cujo marido foi morto na guerra. Há também o sofrimento da ignorância. O sofrimento tem muitas formas. Não é apenas um incidente chamado "morte". Não é apenas um acontecimento na vida de alguém, mas uma série de incidentes, uma série de acidentes e experiências que contêm tanto o prazer quanto a dor – o sofrimento deste movimento de recompensa e punição, o sofrimento do envelhecimento, o sofrimento da doença, da cegueira, das crianças deformadas. O homem tem carregado este grande fardo do sofrimento, e tenta escapar dele. Ele inventa todos os tipos de teorias, todos os tipos de possibilidades, de conceitos românticos e ideações. Mas o sofrimento permanece com o homem. Imagino se alguém já olhou para o que as guerras fizeram ao homem. Quantas mulheres, pais, irmãos e irmãs verteram lágrimas simplesmente porque há apego ao nacionalismo, a preconceitos raciais, a diferenças lin-

J. Krishnamurti

guísticas. Tudo isso está causando enorme sofrimento no mundo. Existe o sofrimento pessoal não apenas pela perda de algo, pela perda de alguém que se ama – se você ama alguém –, mas também por nunca ter tido um único dia original, feliz, e a dor de ver a pobreza nesta Terra e as pessoas sem fazer nada a respeito. Assim, o homem tem carregado este sofrimento por um tempo além da medida. E estamos ainda sobrecarregados, em prantos, ansiosos, solitários, sentindo a profunda dor interna pela falta de sucesso, falta de oportunidade, das coisas que queremos.

Devemos considerar se é possível acabar com este enorme fardo carregado pela humanidade e por aqueles que estão sofrendo. O que é o sofrimento? Qual é a causa do sofrimento? Onde existe uma causa, existe um término. Se eu tenho câncer, a causa – a dor – pode talvez ser removida. Portanto, onde existe uma causa para alguma coisa, existe um término para ela. A causação é um movimento; não é um ponto fixo. Se você puder compreender e descobrir a causa deste fardo do sofrimento, então talvez você compreenda a natureza do amor – não o amor de Deus, não o amor do guru, não o amor de algum livro ou poema, mas o amor de seres humanos, o amor de sua esposa, seu marido, seus filhos.

A Mente Imensurável

Para descobrir este extraordinário perfume, que é realmente a luz do mundo, deve-se compreender a natureza do sofrimento, a estrutura do sofrimento.

Espero que você e o orador sigam nisso. Estamos investigando juntos, não que o orador investigue e você ouça, concorde ou discorde, aceite ou negue, mas juntos estamos explorando um problema muito profundo da humanidade. É requerido um enfoque não emocional, sem sentimentalismo, não uma conclusão que o sofrimento terminará ou que o sofrimento permanecerá sempre com a humanidade. Então, devemos considerar esta questão profundamente, e poderemos considerá-la somente quando a mente estiver no coração. Usamos nosso intelecto para compreender, discernir, argumentar. Usamos o intelecto para escolher, para medir. O intelecto é uma das faculdades do cérebro. E se iremos examinar este extraordinário e profundo problema, a mera intelectualidade tem muito pouco cabimento. A maioria de vocês é altamente intelectual, altamente instruída, e tem, especialmente na Índia, esta extraordinária qualidade de análise. Vocês podem analisar qualquer coisa na Terra; vocês têm mentes bastante sutis. Mas para compreender o sofrimento, a mera intelectualidade não pode ir muito longe. Todos nós temos a capacidade de usar nosso intelecto, que significa compreender, discernir, argumentar, escolher, contrapor um sobre o outro. Esta é a função do intelecto, e a maioria de nós tem esta capacidade. E se você está enfocando esta questão do sofrimento deste modo, então sua mente, seu intelecto, domina o processo de investigação. Portanto, há distorção. Agora, é possível enfocar a questão com o movimento holístico?

Nós nunca nos aproximamos de algo de maneira total, nunca olhamos para a vida como um todo. Nós fragmentamos a vida, dividindo-a em intelecto, emoção, amor e assim por diante; e então nunca podemos olhar para um problema de forma integral. A palavra "total" significa não apenas "completo", não se refere apenas ao sentimento de que as partes estão inclusas nele, mas também que as partes não constituem o todo. "Total" também significa "saudável" – uma mente saudável, não uma mente perturbada, não uma mente estagnada, mas uma mente que é integral, que tem o senso de abranger a Terra e os céus, e a beleza de tudo isso. A palavra também significa "sagrado". Nunca enfocamos a vida com esta qualidade de mente. Ao investigar, explorar esta questão, devemos ter essa qualidade de mente no coração, que não consiste em uma mente romântica, idealista, imaginativa, mas uma mente muito factual,

A Mente Imensurável

temperada com a qualidade do amor. Quando usamos a palavra "coração", queremos dizer a mente no coração, a mente na qualidade do amor, que não tem nada a ver com quaisquer ideias, com quaisquer ideais, com qualquer obediência. Deve haver liberdade para observar. Portanto, vamos juntos olhar para esta questão a respeito do que é o sofrimento e por que o homem se acondicionou ao sofrimento, por que ele o aceitou, assim como aceitou o medo, o prazer, o desejo e todas as coisas que lhe cercam tanto externa quanto internamente. Devemos, pois, ter uma observação muito clara, direta e ordenada a esse respeito.

O que é o sofrimento? Qual é a sua natureza? Nesta coisa chamada "sofrimento", existe dor, existe angústia, há um senso de isolamento, um senso de solidão no qual não há relacionamento. Não é apenas um impacto físico, mas uma grande crise na consciência, na psique. Eu perdi meu filho ao qual eu era apegado. E queria que ele crescesse como um homem de negócios, com um bom e substancial salário, uma casa e assim por diante. Nele, eu me imolei. E subitamente ele se foi. Qual é a qualidade deste impacto repentino, o término abrupto de algo que me dava grande alegria, grande dor, grande ansiedade, todo este movimento de minha afeição, de minha preocupação, meu cuidado, meu senso de ajudá-lo a ter bom gosto, de viver esteticamente? Vocês não conhecem todos estes sentimentos? Em toda casa existe esta sombra do sofrimento, existe um término repentino, um abrupto fim do apego, um término repentino de toda a esperança na qual se investia, um senso repentino não apenas de um impacto profundo, mas também de a vida se tornar vazia. Eu posso tanto me tornar muito cínico ou descobrir uma explicação racional, ou ainda me empenhar em alguma forma de entretenimento ou tomar drogas ou acreditar em alguma vida futura. Esta é a sina de todos os seres humanos.

O que é este findar? O que significa "terminar"? Alguma vez terminamos algo sem um motivo, sem recompensa ou punição? Aonde existe um fim, existe um começo totalmente novo. Mas nunca terminamos. Terminamos as coisas se elas são lucrativas ou dolorosas. Nossa vida é baseada em recompensa e punição tanto externamente quanto, e muito mais, internamente. E então nunca terminamos algo sem uma causa. Portanto, há ansiedade, solidão, e um senso de separação, que é essencialmente tempo. Tempo, identificação, investimento em todas as coisas que você cultivou no outro, mas tudo termina, e existe um impacto. Você chama esse impacto

A Mente Imensurável

de sofrimento. Agora, você pode permanecer com isto, sem escapar, sem buscar conforto – pois essa busca é a coisa mais tola a se fazer –, sem ir para um templo ou correr atrás de algum guru, mas permanecer com este tremendo desafio sem um único movimento do pensamento? O sofrimento é talvez um dos maiores desafios, uma das maiores demandas na mente humana. E se você simplesmente escapar dele, fugir daquilo que teve e tem uma tremenda profundidade, então o sofrimento é a sua sombra. Mas com o fim dele, existe a paixão, não a luxúria, mas a paixão que é a própria essência da energia. Mas muito poucos de nós têm esta paixão que é vívida, não ocasionalmente, mas aquela paixão que move o Universo.

Devemos olhar o que o amor é. Esta palavra tem sido muito deturpada. Uma mulher romântica a identifica como amor de Deus, o amor de um guru, o amor da pintura, o amor de um livro e assim por diante. Damos a esta palavra um significado muito estreito. Você pode dizer, "Eu amo minha esposa". Questiona-se este amor. Este amor pode ser apego, este amor pode ser a busca por conforto; pode ser prazer sexual, ou prazer da companhia e assim por diante. Portanto, iremos considerar o que é o amor para ver sua profundidade, sua beleza e sua extraordinária qualidade. O amor pode estar em relação com a morte.

Certamente, para descobrir algo verdadeiro, você deve negar aquilo que não é verdadeiro, negar o falso. Você pode, então, dizer que o falso, o ilusório, o que não é objetivo, racional e saudável é diferente para cada pessoa. Portanto, para descobrir o que é falso e o que é verdadeiro, e o que é verdadeiro no falso, deve-se ter a capacidade não apenas de pensar claramente, mas demandar, perguntar, questionar. O que é o amor? Você diria que o amor é desejo? Diria que o amor é prazer? Diria que o amor é apego? O orador está fazendo estas perguntas para que você responda para si mesmo honestamente e não se engane, porque é muito fácil enganar a si mesmo. Você pode pensar que é um ser humano maravilhoso, que você está fora de tudo isso. Mas você deve descobrir o que o amor não é. Ou seja, a negação é a ação mais positiva.

Estamos perguntando, "O desejo é amor?" O desejo é um movimento oscilante, e o amor é oscilante, instável, fraco, ou é algo tão forte, tão vital quanto a morte? O amor é prazer? Prazer sexual, o prazer de possuir, dominar, possuir uma pessoa – isso é amor? O apego a uma pessoa, à esposa, ao marido, à família, é amor? "Apego"

A Mente Imensurável

vem do latim *attaccare,* que significa "se ater a", "se ligar a". Isso é amor? No apego existe medo, ciúme, ansiedade, ódio. Onde existe ciúme, existe ódio. Isso é amor? O ódio tem alguma relação com o amor? O amor é o oposto do ódio? O bem é o oposto daquilo que não é bem? Se o ódio é o oposto do amor, então o ódio tem sua raiz no amor. Todos os opostos têm suas raízes em seus próprios opostos. Por favor, examine sua própria vida, não apenas escute o que o orador está dizendo, mas examine sua própria vida honestamente, e faça estas perguntas. O desejo, o prazer, o apego, o ciúme, a ansiedade, o medo de perder – isso tudo é amor? Você pode se libertar do apego, não no último momento, quando vem a morte? Você consegue extinguir o seu apego à outra pessoa, ao ver as implicações do apego, as consequências do apego? Existe ciúme, ódio e raiva quando há apego. Isso tudo é amor?

E o que é compaixão? Não a definição – isto você pode procurar em um dicionário. O que é compaixão? Qual é a relação entre amor e compaixão, ou são eles o mesmo movimento? Quando usamos a palavra "relacionamento", isto implica uma dualidade, uma separação. Mas estamos perguntando, "Que lugar tem o amor na compaixão, ou o amor é a expressão mais elevada da compaixão?" Como você pode ser compassivo se você pertence a alguma religião, segue um guru, crê em algo, crê em suas escrituras, em seu guru, e está apegado a uma conclusão? Quando você aceita o seu guru, você chegou a uma conclusão. Quando você acredita fortemente em Deus ou em um salvador ou nisto ou naquilo, pode haver compaixão? Você pode fazer trabalho social, ajudar o pobre por piedade, por simpatia, por caridade, mas isso tudo é amor e compaixão?

Compreender a natureza do amor, ter aquela qualidade que é a mente no coração, é inteligência. Inteligência é a compreensão ou a descoberta do que é o amor. Inteligência não tem nada a ver com o pensamento, com sagacidade, com conhecimento. Você pode ser muito sagaz em seus estudos, em seu trabalho, ser capaz de argumentar com muita perspicácia, razoavelmente, mas isso não é inteligência. Inteligência caminha junto com amor e compaixão. Você não pode chegar a esta inteligência como um indivíduo. A compaixão não é sua ou minha, como o pensamento não é seu ou meu. Onde há inteligência, não há "eu" e "você". A inteligência não reside em seu coração ou em sua mente. Essa inteligência, que é suprema, está em toda parte. É ela que move a Terra, os céus e as estrelas, porque ela é compaixão.

A Mente Imensurável

Vocês estão interessados em tudo isso? Ou já envelheceram demais? Os jovens já estão velhos – alguns deles. E a partir do que ouviram, o que vocês farão com isso? Esquecerão tudo assim que saírem, e cairão de volta em suas vidas diárias, monótonas, medíocres? Façam estas perguntas, senhoras e senhores.

Conversaremos sobre esta questão da morte, a morte sendo o fim, o fim de suas memórias, de seus apegos, de sua conta bancária, se você tem uma; você não pode levá-la com você, mas você gostaria de tê-la até o último momento. Portanto, o que é a morte, e quem é que morre? E o que é a vida? Quem é que morre, e o que significa morrer? Não estamos falando do fim do organismo físico, mas estamos investigando a vida, o término da vida e o grande significado da morte. O que é a vida, que separamos da morte? Existe um intervalo de quarenta, cinquenta ou cem anos. Queremos prolongar nossas vidas o máximo possível. A medicina moderna e as técnicas cirúrgicas ajudam a prolongar a vida. Eu não sei para quê, mas se quer prolongá-la. Então, o que é a vida? Sua vida? Ou a vida do Universo, a vida da Terra, a vida da natureza, a vida que é um vasto movimento sem começo e sem fim? Não caia de volta na armadilha de sua tradição. Ela está morta, completamente morta.

J. Krishnamurti

Quando você segue a tradição, você já está morrendo; ou talvez você já esteja morto.

Portanto, quando falamos sobre a vida, devemos examinar o que isto significa – a vida de uma árvore, a vida do peixe na água, a vida da beleza de um tigre, a vida do Universo, esta vida que parece tão extraordinariamente vasta, imensa, com profundidades incomensuráveis. Estamos falando sobre isso ou sobre a sua vida? Se estamos falando sobre sua vida, o que é esta vida? Ir para o escritório da manhã até a noite por cinquenta, sessenta anos, ter filhos, pertencer a uma seita, seguir algum guru? Você crê tanto neste guru que você o segue. E existe conflito desde a manhã até a noite, conflito como prazer, conflito como medo, e a busca de prazer e o desejo. Isso é a sua vida. É disso que estamos falando, do final desta vida? O que é importante: antes ou depois da morte? A vida, sua beleza, sua energia, sua paixão, sua imensidade, você reduziu para um estreito e pequeno "eu". Vocês estão preocupados com o "eu" que irá morrer? Você gostaria de prolongar este viver, mas você nunca olha, nunca questiona, pergunta, duvida, descobre; você segue mecanicamente. E você está preocupado com este "eu" que está morrendo. O que é o "eu"? O que é o "você"? É uma série de palavras?

A Mente Imensurável

Examinem e olhem para isso, pelo amor de Deus É o seu nome, sua forma, como você olha, sua conta bancária, suas ideias, suas crenças, suas experiências? Você crê em Deus, e esta crença é você, que criou Deus. Então o que é você? Por favor, olhe, questione, duvide, pergunte. É com essas questões que você está amedrontado – com medo de morrer, por saber que o seu corpo, que é o mais extraordinário instrumento, porém que tem sido duramente tratado, torturado, drogado, irá morrer? Você pode prolongar sua vida por um longo tempo, mas ela chegará a um fim. Tudo que você pode dizer, se você foi muito bem-sucedido em algum campo, é: "Eu tive uma ótima vida, eu não me importo de morrer".

Estamos perguntando, "O que é que morre, e o que é que se une à vida?" Por "vida", eu quero dizer ir ao escritório, sexo, dor, prazer, lutar uns com os outros, discutir, destruir um ao outro. Isso é a sua vida, seja você jovem ou velho. É isso que você tem medo que acabe? Ou você está considerando a vida como um todo, a vida do Universo, que é tão imensa, tão vasta, tão incalculável? Existe toda esta vida, e existe essa pequena vida que você leva, esta tortura, esta ansiedade, este conflito, esta miséria com ocasionais eventos de alegria e claridade. Portanto, pergunte, por favor, o que você é, a que pensa-

J. Krishnamurti

mento você se liga, e qual a imagem que você construiu a respeito de si mesmo.

Vejam, não é a imortalidade da alma de alguém, de si mesmo. O "si mesmo" é construído pelo tempo. Você evoluiu como o "eu" a partir do momento em que nasceu até agora, e você aceita este "eu" como uma realidade. Ele é, de fato, real, ou é uma série de palavras, uma série de memórias e experiências, que são todas reunidas pelo pensamento? E este "eu" está se mantendo em toda esta luta da vida? Se você não está atado a isso, então a vida é algo totalmente diferente. Ela é um movimento vasto, incalculável. Mas só pode ser visto quando o "eu" não existe.

Agora, devemos fazer uma outra pergunta: o que é meditação? Iremos investigar algo que demanda toda a sua atenção, que demanda seu cuidado, sua profunda consideração. Iremos examinar o que é meditação, não como meditar, mas qual a natureza, a qualidade, a estrutura e a beleza da meditação. A palavra "meditação", de acordo com o dicionário, significa "ponderar sobre, pensar sobre, considerar, inquirir, investigar, olhar". A palavra também significa "mensuração", "medir". "Mensuração" significa "comparação". Alguma vez vocês já consideraram como a antiga Grécia, de 450 a.C., explo-

A Mente Imensurável

diu por toda a Europa? A Grécia foi responsável pela mensuração; ela inventou a mensuração. Sem a mensuração, não pode haver tecnologia. E o mundo ocidental é capaz de grande tecnologia, que agora se moveu para o Japão. Mas os indianos do passado disseram que a mensuração é ilusão. O orador está dizendo agora que toda mensuração é limitada. Se houvesse mensuração completa, então haveria perfeição instantânea de toda tecnologia. Assim, a Índia explodiu por toda a Ásia. Não fiquem orgulhosos; tudo se foi. Vocês perderam a única coisa que era tão preciosa; perderam a maior joia que já tiveram.

Portanto, meditação significa pensar, ponderar, pesar, e também significa medir. Existe a mensuração: "Eu sou isto, devo ser aquilo". Eu me comparo com você, que é mais esperto, mais bonito e admirável, e digo que eu não o sou – isto é mensuração. Seguir um exemplo é uma mensuração. Seguir o ideal é uma mensuração. Aonde houver comparação psicologicamente, a meditação não pode existir. Portanto, onde existe mensuração, comparação, não pode haver meditação. Você pode comparar entre dois carros, entre dois materiais de tecido, mas onde a mente pensa em termos de "o melhor" psicologicamente, a meditação não é possível. Você pode sentar de pernas cruzadas, fazer todos os tipos de *yoga*, todos os tipos de controle, mas onde há controle, há mensuração. Na meditação não deve haver esforço. O que você chama de meditação é repetir algumas palavras, repetir um *mantra*. Disseram-me que o significado desta palavra é "ponderar sobre", e não "tornar-se", ou seja, sem mensuração. Também significa negar em absoluto toda atividade autocentrada. Este, creio eu, é o significado básico desta palavra – não se tornar e não viver de um modo autocentrado. Você pode repetir todas as palavras, todos os *mantras,* respirar apropriadamente, seguir um sistema após outro; e se um sistema não lhe é adequado, tome outro sistema, vá ao Japão para aprender o Zen. Ou o mais recente guru lhe dirá como meditar. Tudo isso implica controle. Onde há controle, deve haver conflito e deve haver mensuração, mas não é meditação.

Meditação é viver uma vida diligente. A meditação não está separada do viver diário. Retirar-se para um cantinho, meditar por vinte minutos toda tarde ou toda noite – isto é apenas ter uma sesta. Não há sistema. Sistema implica em prática. Prática significa mensuração – daquilo que você é para o que você quer ser –, e você pode estar praticando a nota errada; provavelmente esteja. Você chama isto de meditação, e esta meditação é totalmen-

A Mente Imensurável

te separada do seu viver diário. Portanto, descubra se é possível viver uma vida diária de meditação, o que significa sem mensuração em tempo algum. O orador está chamando a atenção para algo que é perigoso. Por favor, compreenda isso muito cuidadosamente. Na meditação, não existe controle, porque o controlador é o controlado. Na meditação, não há volição, porque volição é desejo. A essência do desejo é volição: "Vou meditar, vou praticar dia após dia, ter disciplina". Na meditação não há esforço algum porque não há controlador.

E meditação implica consciência – consciência da Terra, da beleza da Terra, da folha morta, do cachorro a morrer, do cachorro que está doente. É estar cônscio do seu ambiente, cônscio de seu vizinho, cônscio das cores que você veste, do porquê você veste estas cores e estes adornos, estar cônscio de tudo; estar cônscio da beleza do vento entre as folhas; estar cônscio de seus pensamentos, de seus sentimentos. Ou seja, significa estar cônscio sem escolha, apenas observar, apenas estar cônscio. Isso eleva sua sensibilidade – observar tudo diligentemente. Quando você diz que fará alguma coisa, faça-o, nunca esquecendo do que você disse. Não diga algo que você não tenha intenção de fazer. Isso é parte da meditação. Quer dizer estar cônscio de seus sentimentos, suas opiniões, seus julgamentos e suas crenças, de modo que nesta consciência não haja escolha – apenas estar cônscio da beleza da Terra, dos céus e das águas fascinantes.

Quando você está assim cônscio, existe atenção, ou seja, atentar não apenas ao que o orador está dizendo, mas também ao que sua esposa está lhe dizendo, ou ao que seu marido ou seus filhos estão lhe dizendo, ou ainda ao que os políticos estão lhe dizendo. Quando você está tão profundamente atento, não há um centro como "eu" para dar atenção. Isto também é meditação.

Se você foi assim tão longe, se a mente se moveu até aqui, então, o que é religião? Religião não é nenhuma dessas coisas que você tem: os templos e o conteúdo dos templos, o *puja*, as igrejas; tudo isso não é religião. Os rituais e as crenças são estruturados pelo pensamento, que é um processo material, e você venera aquilo que o pensamento criou, que foi o que você criou. Alguma vez você já percebeu que criou todos os deuses a partir do seu medo, do seu desejo por segurança? E os rituais feitos dia após dia, o *puja*, a Missa, todos são outra forma de entretenimento. Eu sei que você não concorda, mas ouça. Você continuará agindo assim porque sua mente está condicionada e

A Mente Imensurável

temerosa, e quer algum tipo de segurança, se não aqui, talvez em algum outro lugar.

Portanto, um homem religioso não pertence a grupo algum, a qualquer religião. Ele não tem crença porque sua mente é livre, destemida, porque a inteligência é a forma suprema mais elevada de segurança máxima. Não a inteligência do pensamento hábil, mas a inteligência da compaixão. Esta inteligência não tem dúvida, não tem incerteza, não tem medo; é algo imenso e universal.

E onde existe atenção, existe silêncio. Se você prestar atenção agora ao que o orador está dizendo, com seus ouvidos, com seus olhos, com seus nervos, com todo o seu corpo, então nesta qualidade de atenção existe grande silêncio, incomensurável silêncio. Este silêncio nunca foi tocado pelo pensamento. Só aí existe aquilo que o homem tem buscado por tempo imemorial, algo sagrado, algo inominável, supremo. Somente a mente que está tão completamente livre de toda a luta da vida pode encontrar o supremo. Isto significa meditação, que é a expressão da atividade diária.

Chennai, 02 de janeiro de 1983.

CONFERÊNCIAS EM BOMBAIM[10]

Onde Existe Uma Causa, há um Término

Eu gostaria de destacar que isto não é uma palestra. Uma palestra geralmente significa instruir em um assunto particular com o objetivo de informar e ensinar, mas nós conversaremos sobre muitos temas. Vocês e o orador investigarão os vários assuntos da vida diária, e verão se existe alguma solução para eles. Não estamos interessados em filosofia, o que é geralmente compreendido por teorias, especulações e uma forma

---

[10] Originalmente chamada Mumbai, tornou-se conhecida como Bombaim durante o período colonial britânico, possivelmente uma corruptela anglicana de Mumbai, ou talvez a partir de "bom baim", uma denominação supostamente em português para o local ["boa baía"]. (N. E.)

de entretenimento intelectual. Antes, conversaremos vagarosamente, com um certo ceticismo, com incerteza; teremos um diálogo sobre toda a nossa existência; dividiremos os muitos problemas de nossa vida. Portanto, é sua responsabilidade, assim como do orador, que pensemos juntos. Não que vocês e o orador pensem separadamente, mas que cada um de nós descubra, encontre por si mesmo, se estamos de fato nos encontrando, não meramente no nível intelectual ou no nível emocional, romântico ou no campo das ideias, mas realmente nos encontrando em um relacionamento de investigação, sem aceitação, mas questionando.

Para questionar, investigar, deve-se ser livre de preconceitos; de outro modo, a investigação não tem valor algum. Se você está comprometido com uma forma particular de pensamento, com um ajuste particular a um ideal, então você possivelmente não seja capaz de pensar conjuntamente. Pensar em conjunto requer muita atenção. Nós nunca nos encontramos realmente porque a maioria de nós já está comprometida com muitas ideias, conclusões, opiniões. Como o orador não tem crenças, não tem ideais, não tem autoridade de modo algum, *ele pode investigar facilmente, livremente, de modo feliz*. Se você também for livre, você pode olhar para a grande

A Mente Imensurável

complexidade de nossa sociedade, dos governos pelo mundo, investigar por que os seres humanos, que têm vivido nesta Terra por quarenta, cinquenta mil anos ou talvez mais, se tornaram o que são: embotados, violentos, supersticiosos e seguidores de alguma tradição sem sentido. Devemos ser capazes de compreender profundamente a natureza de nós mesmos, pois nós somos a sociedade, nós criamos esta sociedade na qual vivemos. E devemos trazer ordem a esta sociedade, não por legislação, não por leis governamentais e assim por diante. Mas isso não será possível enquanto nossa própria casa não estiver em ordem – nossa casa, a casa na qual vivemos, não a casa física, mas a casa de nossas lutas, conflitos, miséria, confusão, sofrimento. Esta é nossa casa, e se não trouxermos ordem a ela, a mera demanda por ordem externa terá muito pouco significado. O que nos preocupa profundamente é o porquê de os seres humanos serem o que são, por que eles se tornaram assim. E o futuro deles será o que eles são agora. Se eles não mudarem agora, o futuro será exatamente o que é agora, talvez com certas modificações, variações. Se os seres humanos não trouxerem uma mudança radical, fundamental, em suas próprias atitudes, em suas próprias vidas, que consiste em trazer ordem, então participar de todas estas conversas terá muito pouco significado.

Se está bem claro que estamos nos encontrando em um determinado nível, com a mesma intensidade, ao mesmo tempo, então a comunicação se torna muito simples. Porque, obviamente, o orador está aqui para dizer alguma coisa, explorar algo com vocês. Mas se vocês se agarram aos seus compromissos, às suas crenças, aos seus gurus e todo este negócio, nunca podemos nos encontrar. Essa é uma fala ou uma conversação entre duas pessoas, um diálogo entre amigos que estão preocupados não apenas com suas vidas privadas, mas também com o que está acontecendo no mundo – a desordem global, a ameaça de guerras, a pobreza, a violência e a destruição que está ocorrendo neste momento pelo mundo. Somos responsáveis por tudo isso, e não é bom se retirar para um canto e meditar sobre sabe lá Deus o quê. Tenham em mente, por gentileza, o tempo todo, que somos conscienciosos, não superficiais, e estamos profundamente preocupados em encontrar uma solução para todos estes problemas.

O que é um problema? Por que temos problemas durante nossa vida, desde o início, quando vemos a luz, até morrermos? Por que temos problemas? Problemas sociais, econômicos, mecânicos, problemas de informá-

A Mente Imensurável

tica e problemas em nossa vida diária, em nossos relacionamentos. É necessário termos problemas? O significado básico da palavra "problema" é "algo lançado em você", um desafio. E estamos perguntando, "Por que temos problemas?" É possível viver sem um único problema? Se temos problemas, eles agem obviamente como fricção e desgastam o cérebro, e envelhecemos e assim por diante. Os seres humanos pelo mundo têm muitos problemas. Eles vivem com problemas, suas vidas inteiras são um movimento de problemas. E estamos perguntando, "É possível não ter problemas?" Iremos investigar a questão, e não dizer que é possível viver sem problemas ou que não é possível. Este não é o ponto. O ponto é por que temos problemas e por que o cérebro está sempre tentando resolvê-los. Existem problemas mecânicos, de informática, matemáticos, problemas de *design*, na arquitetura, na física, no campo tecnológico, existem muitos problemas, é inevitável. Se você está trilhando o caminho da tecnologia, nele devem surgir muitos problemas.

Mas por que, em nosso relacionamento, em nosso modo de vida, em nossa família, com as pessoas que amamos, nós temos problemas? Vemos que, no mundo tecnológico, devem existir problemas. Quando você está construindo um computador, isto requer a resolução de problemas ali; no mundo tecnológico, sempre existirão problemas. E nosso cérebro está instruído, treinado, para resolver problemas? Vivemos em um mundo mecânico. Somos pessoas de negócios, médicos, cirurgiões, físicos, biólogos, especialistas em informática, e nossos cérebros estão treinados, educados, condicionados a resolver problemas. Portanto, estendemos esta mesma atitude para nossa vida diária. Suponha que alguém seja um especialista em computador; ele tem vários problemas e deve solucioná-los, o que significa que seu cérebro está treinado, condicionado, educado para resolver problemas. E nós estendemos este mesmo movimento de solução de problemas para o campo psicológico. Então, no campo psicológico, ou seja, em nossos relacionamentos, em nossos medos, ansiedades e tudo o mais, temos a mesma mentalidade, o mesmo condicionamento de que estes são problemas que devem ser resolvidos. Isso significa que olhamos para a vida, para nosso viver diário, a partir do ponto de vista de que são problemas.

O que estamos tentando destacar é: você é treinado ou educado para resolver problemas, e ao resolver um problema, você está criando muitos outros problemas. É o que está acontecendo em toda parte, com todos os governos. Eles tentam resolver um problema, e na solução

A Mente Imensurável

daquele problema criam mais problemas. Então, vivemos com problemas. E estamos afirmando algo totalmente diferente: que observemos a vida não com uma mente treinada para resolver problemas, mas para compreender por que o cérebro é condicionado, treinado, educado na resolução de problemas e por que encaramos a vida com este mesmo movimento.

Então, olharemos para os vários assuntos de nossa vida não com um cérebro que é treinado para resolver problemas, mas observando os temas, sem demandar uma resposta, sem demandar uma solução. Isto é muito sério, porque viver sem um único problema é ter a vida mais extraordinária; ela tem uma capacidade imensa, uma energia tremenda, e está sempre renovando a si mesma. Mas se você está sempre preso no campo dos problemas e da resolução dos problemas, então você nunca se move para fora dos problemas. Iremos, pois, descobrir se é possível olhar para qualquer assunto sem chamá-lo de problema, olhar para qualquer assunto de nossa vida diária sem rotulá-lo como problema, mas olhar para ele, observá-lo, estar consciente de toda a natureza deste assunto, do conteúdo deste assunto. No entanto, se você enfocá-lo como um problema, e portanto tentar encontrar uma solução para ele, você aumentará os problemas.

J. Krishnamurti

Digamos, por exemplo, que é importante ter uma mente não ocupada. Somente um cérebro que não está ocupado, que é livre, que tem extraordinária vitalidade, pode perceber algo novo. É necessário ter uma mente muito quieta, porque apenas uma mente muito quieta, uma mente não ocupada, pode ver as coisas claramente, pode realmente pensar de modo totalmente diferente. Agora, você ouve que é necessário ter uma mente quieta, imóvel, e então você pergunta, "Como posso obtê-la?" Então você faz disso um problema: "Eu preciso de uma mente quieta, mas minha mente é ocupada, irrefreável, tagarelando o tempo todo". E então você pergunta, "Como posso pará-la?" O desejo de pará-la traz problemas. O "como posso fazê-lo" se torna um problema. Mas se você aborda a questão sem dizer que você deve ter uma mente não ocupada, então começará a ver por si mesmo a natureza da ocupação, por que a mente é ocupada, por que está constantemente lidando com uma coisa particular. Quando você observa isso, quando está cônscio disso, isso lhe conta sua história.

Devemos adentrar todo esse assunto, mas primeiramente devemos estar cientes de que você e o orador estão tratando a vida não como um problema, mas como um formidável movimento. Porém, se seu cérebro está treinado para resolver problemas, então você tratará este movimento como um problema a ser resolvido. É possível olhar para a vida com todas as suas questões, com todos os seus temas, que são tão complexos, olhar para ela não como um problema, mas observá-la, observar claramente, sem tendências, sem chegar a alguma conclusão que irá determinar a sua observação? Portanto, observe este vasto movimento da vida, não apenas sua vida particular, mas a vida da humanidade, a vida da Terra, a vida da árvore, a vida de todo o mundo; olhe para ela, observe-a, mova-se com ela. Mas se você a tratar como um problema, então você criará mais problemas.

Qual é o primeiro tema em sua vida? (Não estou usando a palavra "problema".) Qual é o primeiro movimento em nossa vida, na vida do homem, não apenas em sua pequena vida? Não estamos falando sobre sua pequena vida, mas sobre a vida que está ao nosso redor, este vasto, imenso e complexo movimento da existência. O que é o que lhe impacta primeiro? O que é que tem significado, que tem profundidade, que tem um senso de vitalidade por trás? O que vocês diriam se a cada um de vocês fosse feita esta pergunta? Qual seria sua primeira observação, sua primeira resposta, sua primeira e imediata investigação? Talvez vocês nunca tenham feito

J. Krishnamurti

esta pergunta e, portanto, não tenham vontade de respondê-la por si mesmos. Mas se vocês olharem para este vasto e extraordinário movimento da vida, do qual vocês são parte, o que vocês encontram em primeiro lugar? Seria relacionamento? Seria a sua própria preocupação particular consigo mesmo? Seria seu próprio medo, sua própria ansiedade, sua própria estreita e limitada investigação, sua própria busca por Deus? Qual seria o seu primeiro contato natural, sua demanda natural?

Você olha para este vasto movimento da vida a partir de uma pequena e estreita janela, sendo esta janela o seu próprio pequeno "eu", suas próprias preocupações, suas próprias ansiedades, suas próprias demandas sexuais? Ou você está olhando para este vasto movimento a partir de nenhum ponto de vista particular, de nenhuma janela, de nenhum compromisso? Ou você está tão capturado em um sistema, em uma tradição, no conhecimento, como um professor, como um filósofo, como um escritor ou um cirurgião, que olha para esse movimento como um especialista? Ou você o olha como um ser humano, um ser humano que tem tantos questionamentos, tanto sofrimento, dor, ansiedade? Como você olha para tudo isso?

Quando se coloca uma questão como esta entre tantas pessoas, naturalmente cada uma delas tem uma

A Mente Imensurável

resposta diferente. Mas somos todos seres humanos e fazemos parte da humanidade. Nós somos parte da humanidade. Não somos indianos. Podemos ter uma certa experiência, uma certa tradição, uma longa história; isto é apenas uma questão de rótulo. Mas, primariamente, você é um ser humano, não um cristão, um budista ou um hindu. Antes de tudo, você é um ser humano relacionado com todos os outros seres humanos. Portanto, você é parte da humanidade. Seu corpo pode ser diferente do corpo de outro, o organismo físico pode ser diferente de outro. Você é, por certo, diferente do orador fisicamente. Mas o corpo nunca diz, "Eu sou"; o corpo nunca diz, "Eu sou algo especial"; ele nunca diz "Meu progresso", "Meu sucesso", "Devo buscar Deus". O corpo nunca diz essas coisas. Mas o pensamento diz. Você é diferente fisicamente de outro, mas o corpo, que é o organismo mais extraordinário, nunca está consciente de que é separado de outro alguém. É o pensamento que diz, "Eu sou diferente".

É importante ver que é o pensamento que divide. Portanto, esta é a primeira coisa que você nota quando olha para este vasto movimento da vida – como o homem se afastou do outro, se separou do outro, denominando a si mesmo americano, russo, judeu, árabe, hindu,

J. Krishnamurti

etc. Você não percebe todas estas entidades humanas singularmente apartadas? Você está cônscio a este respeito? Não é a primeira coisa que você vê – como o mundo está dividido geograficamente, nacionalmente, racialmente, religiosamente? E esta divisão está causando um imenso conflito. Esta divisão está causando guerras – o hindu contra o muçulmano, o russo contra o afegão, e assim por diante. Não é a primeira coisa que você vê neste mundo – como o homem criou esta divisão? Esta divisão deve existir porque nosso pensamento a criou.

Se você está de todo alerta, desperto, você vê o que o homem tem feito a si mesmo e aos outros. Esta é a primeira coisa que se observa: a destruição causada por esta divisão, a cultura das guerras pelo nacionalismo. E não se trata este vasto movimento da vida como uma unidade. Esta é a primeira coisa que você vê: o homem lutando contra o homem. E vivemos deste modo por milhares de anos, matando uns aos outros em nome de Deus, em nome da paz, em nome de um país, em nome de uma bandeira, e estamos ainda fazendo isso depois de milhares de anos. Então, pergunta-se, "O que está errado com o homem? Por que ele age assim?" Ele é extraordinariamente inteligente no mundo tecnológico; ele inventou os mais admiráveis e sofisticados instrumentos.

A Mente Imensurável

Mas ele ainda está conduzindo sua vida estupidamente. E pergunta-se, "Qual é a causa disto?" Qual é a causa de toda esta divisão, destas guerras, da estrutura de autoridade hierárquica em todo país? No mundo religioso, no mundo político, no mundo científico, tudo é baseado no princípio hierárquico, na autoridade – a autoridade do conhecimento, a autoridade da experiência, e assim por diante.

Qual é a causa de tudo isso? Quem é responsável por isso? Por favor, investigue, penetre este tema com o orador. Porque onde há uma causa, há um término para esta causa. Se alguém tem dor, a causa sendo o câncer ou o que queira, então esta dor pode ser terminada, ou esse alguém morre. Portanto, onde quer que haja uma causa, existe um término para ela. Isto é uma lei, isto é um princípio. Então estamos perguntando: "Qual é a causa desta vasta miséria, infelicidade, a tremenda incerteza que é cultivar deuses tribais? Qual é a raiz de tudo isso?" Você está esperando que o orador lhe diga, ou você está descobrindo por si mesmo? Se o orador lhe disser, então você fará disso uma abstração, como uma ideia. Então, a ideia e colocar essa ideia em ação se torna um problema. Dessa forma, você e eu, juntos, devemos descobrir qual é a causa de tudo isto – não da miséria particular

J. Krishnamurti

deste país, com sua superpopulação, corrupção, desregramento, e a fealdade de tudo o que ocorre aqui. Está acontecendo por todo o mundo: eles estão se preparando para guerras monstruosas, trazendo grande miséria para a humanidade. Qual é a raiz de tudo isso?

Podemos penetrar neste tema juntos? Não que eu explique e você aceite, mas devemos juntos, com vagar, cuidadosamente, descobrir por nós mesmos qual é a raiz, a causa de tudo isso. Se não descobrirmos agora, o futuro será exatamente o mesmo, o que você é agora – guerra, divisão, sofrimento, dor, ansiedade, incerteza. Portanto, vamos descobrir juntos. Por favor, tenha em mente que o orador não o está instruindo; ele não tem autoridade para instruí-lo. Você não é seu aluno, e ele não é seu professor. Não há recompensa nem punição. Mas, juntos, vamos investigar, o que significa que você deve estar igualmente ardoroso, igualmente intenso, igualmente com paixão para descobrir, não apenas comparecer a uma fala como esta e se retirar, retornar para sua própria vida, sua vida estreita, ansiosa, sofrida. Então, qual é a causa desta divisão que cultiva guerras, tumultos, disputas, conflito constante, conflito entre homem e mulher, sexualmente e assim por diante? Qual é a raiz de tudo isso?

A Mente Imensurável

Se pudermos perguntar, como você trata uma questão como esta? A questão é: qual é a raiz, a causa, de tudo isso? Como você aborda a questão? Como você se aproxima dela? "Abordar" significa "aproximar-se", "entrar em contato". Esta é uma questão colocada para você, e você está olhando para ela como um problema a ser resolvido? Ou você se aproxima bastante dela? Você estará, então, aberto à questão. Mas se você se mantém longe da questão, você não está aberto, você não está vivo para a questão. Estamos, então, juntos, abordando a questão sem uma direção, sem um motivo? Porque se você tem um motivo, então este motivo determina a resposta, distorce a percepção.

Suponha que este seja meu questionamento, estou colocando esta questão para mim mesmo: qual é a raiz de tudo isso? Eu não tenho resposta; eu não sei, mas vou descobrir. E para descobrir, eu devo ser livre, absolutamente livre de qualquer tipo de direção. Porque se eu tenho uma direção, um motivo, e estou esperando por algum tipo de recompensa, então este motivo, esta recompensa, irá determinar minha investigação. Portanto, eu devo estar livre para observar esta questão: qual é a raiz de tudo isso? Será inevitável que nós, seres humanos, nesta bela Terra que estamos destruindo diligentemente, precisemos viver em conflito, precisemos viver com ansiedade, com medo? Se você aceitar isso como inevitável, então não há investigação – você chegou a uma conclusão e fechou a porta. A conclusão significa o fim da investigação. A própria palavra "conclusão" significa "fechar", "terminar". Se você chegou a alguma conclusão, você possivelmente não pode responder. Assim, você precisa estar cônscio de como você aborda esta questão.

Estamos perguntando, "Será o pensamento?" O que é o pensamento? O pensamento é seu? O pensamento é individual? O seu pensamento é separado do pensamento de outra pessoa? Toda pessoa pensa. O homem mais estúpido, ignorante, sofrido, em um lugarejo, pensa; assim também o grande cientista. Portanto, pensar é comum a todos nós. O seu pensamento não é separado do meu. Você pode expressá-lo de um modo, outro pode expressá-lo diferentemente, mas o pensamento é o movimento de toda a humanidade. Assim, o pensamento não é individual. Percebem? É muito difícil aceitar ou ver isso porque somos muito condicionados, instruídos, treinados para pensar que o meu pensamento é separado do seu, que a minha opinião é diferente da sua. Opinião é opinião; não é sua opinião ou minha opinião.

A Mente Imensurável

Portanto, será o pensamento a raiz de toda esta miséria, esta destruição, esta queda, esta corrupção, este declínio? Se for, este movimento do pensamento, que criou tanta confusão no mundo, poderá então terminar? Ele criou o mais extraordinário mundo tecnológico, os grandes instrumentos de guerra, os formidáveis submarinos e assim por diante. Também, ele criou todas as religiões do mundo. Ele construiu admiráveis catedrais, mesquitas, templos, e todas as coisas que estão dentro dos templos, nas mesquitas, nas igrejas. O pensamento inventou todos os rituais, inventou o Salvador no mundo cristão, inventou a libertação ou *Moksha*, ou como isso seja denominado neste país. Também, ele inventou Deus. Quanto mais incerteza você tem e quanto mais perigoso o mundo se torna, mais o pensamento busca segurança, um senso de segurança, de certeza. Então, ele cria deuses – "Seu deus e meu deus"; "Meu deus é melhor que seu deus"; "Meu guru é melhor que o seu, ele me dá iniciações"; e assim por diante. O pensamento tem sido responsável por tudo isso.

E se o pensamento é a causa de tudo – nossa miséria, nossas superstições, nossa imensa insegurança e incerteza –, existe um término para isso? Existe um fim para o pensamento? Ou seja, se o pensamento é responsável por todo este mundo tecnológico e toda a miséria do mundo humano, infelicidade, ansiedade, se o pensamento é a causa de tudo, ele certamente tem um término. Similarmente, se alguém tem uma determinada doença, decorrente de vários incidentes, esta doença tem uma causa, e esta causa, tendo sido descoberta, pode ser tratada e eliminada. Então, se o pensamento é responsável por tudo – nossa confusão diária, miséria, incerteza, sofrimento e todas as superstições – se o pensamento é a causa, ela tem término. Mas se você diz, "Diga-me como cessar o pensamento", então você faz disto um problema. Porque o seu cérebro está treinado, educado, para resolver problemas. Como um especialista em computadores é treinado para resolver problemas, este mesmo movimento é estendido para o mundo psicológico.

Portanto, se o pensamento é a causa de tudo isso, a questão não é como cessá-lo, mas compreender todo o movimento do pensamento, e não o tratar como meu pensamento, separado do seu pensamento. Se você o trata como seu pensamento, e alguém o trata como o pensamento dele, então os temas são totalmente diferentes, o que leva a todo tipo de ilusões e superstições, que não têm realidade. Mas o pensamento é o solo no qual todos os seres humanos estão colocados: o preto, o

A Mente Imensurável

branco, o vermelho, o muçulmano, o hindu, o aldeão, o não instruído. Você pode então se afastar da ideia de que é seu pensamento. Assim, você está envolvido pelo pensamento global, não pelo modo indiano de pensamento. Você está, de fato, interessado pelo mundo, por toda a humanidade, da qual você é parte. Você não é um indivíduo. "Indivíduo" significa "único", "indiviso". Mas você não é único; você é totalmente dividido, fragmentado em si mesmo. Você é o resultado de gerações passadas. Seu cérebro não é seu. Ele evoluiu por milhares e milhares de anos. Mas sua religião, suas escrituras e sua vida diária dizem que você é separado de todos os outros. Você é treinado para aceitar isso; você nunca lidou com isso, questionou a respeito, nunca duvidou com um ceticismo destemido. Você aceita, e nesta aceitação está o seu problema. Mas se você olha para tudo como um vasto movimento da vida do qual somos uma parte, um movimento que é ilimitado, que não tem começo nem fim, então você começa a investigar a natureza do pensamento.

Qual é a origem do pensamento? Por que o pensamento divide? É esta a sua natureza? O movimento do pensamento é em si mesmo divisivo, fragmentário, limitado? Você deve fazer todas estas perguntas. Se você meramente disser, "Uma vez que o pensamento é a causa, por favor, diga-me como eliminar a causa", então você está de volta ao seu velho campo dos problemas. Se você tentar resolver este problema, você terá outros problemas. O pensamento cria problemas; mas se você disser, "Por favor, diga-me como cessá-los, como parar de pensar", surgirão muitas pessoas que lhe dirão como parar o pensamento. E estas pessoas divergem umas das outras; elas dizem, "Medite", "Não medite", "Respire deste modo" – você conhece todas as coisas sem sentido que acontecem. Assim, você multiplica os problemas. Mas você deve olhar para este movimento do pensamento com o qual o homem viveu por milhares e milhares de anos. Não se deve perguntar como terminar o pensamento – esta é uma pergunta tola –, mas qual é sua natureza. Por que o pensamento se tornou tão importante? Porque pensamento implica conhecimento. Que lugar o conhecimento tem na vida?

Devemos parar agora, mas continuaremos amanhã à noite. Mas, por favor, quando sair daqui, investigue por si mesmo. Não permita que eu o estimule a pensar – que é o que está acontecendo agora. Dessa forma o orador se torna uma droga, então você depende dele e faz dele um guru. E ao fazer do orador um guru, você tem outros problemas ligados a isso. Mas quando você sair daqui,

A Mente Imensurável

olhe para tudo isso, descubra. Isto significa um cérebro ativo, um cérebro que está pensando, observando, discutindo, e não apenas preso em uma estreita trilha da tradição ou em algum sistema. Uma das calamidades no mundo é que estamos todos ficando velhos, velhos não somente no corpo, mas mentalmente. O declínio começa aí, primeiro por dentro, porque nos tornamos mecânicos. Nunca temos a energia, a vitalidade, a paixão para descobrir. Sempre lhe foi dito o que fazer, você sempre foi instruído. Mas este não é um lugar para instrução, nem estou lhe dizendo o que fazer. Aqui estamos descobrindo genuinamente um modo diferente de viver, e você somente pode descobri-lo quando compreende a natureza do pensamento e um modo de vida no qual o pensamento não é importante, em absoluto.

Bombaim, 22 de janeiro de 1983.

A Boa Mente

Dissemos ontem que a condição atual de divisões nacionais, raciais, linguísticas, religiosas, divisões como muçulmano e hindu, judeu e árabe, americano, europeu, russo, chinês e assim por diante , esta divisão tribal, esse tribalismo glorificado chamado "nacionalismo", trouxe muitas grandes guerras. Aonde existe divisão, não apenas entre homem e mulher em seu relacionamento, mas também divisão racial, religiosa e linguística, deve haver conflito. Enfocamos a questão: Por que existe este constante conflito entre um homem e outro? Qual a sua raiz? Qual é a causa de todo este caos? – anarquia, maus governos, cada nação se preparando para a guerra, este pensamento de que uma religião seja superior a outra, de que um guru seja mais importante que outro. Nós vemos esta divisão por todo o mundo, e historicamente ela tem existido por muitos, muitos séculos. Qual é a causa disso? Quem é responsável?

Dissemos que o pensamento separou um homem de outro. O pensamento também criou a mais extraordinária arquitetura, pintura, poesia e todo o mundo da tecnologia, da medicina, da cirurgia, das comunicações,

A Mente Imensurável

dos computadores, dos robôs e assim por diante. O pensamento trouxe saúde, medicamentos eficientes e várias formas de conforto. Mas o pensamento criou também esta vasta divisão entre um homem e outro. E nós perguntamos: "Qual é a causa de tudo isso? Quem é responsável por tudo isso?" Dissemos que onde existe uma causa, existe um término. Como quando você tem uma certa doença, se a causa desta doença pode ser encontrada, ela pode ser curada. Portanto, aonde existe uma causa, existe um término para esta causa. É um fato, obviamente. E se o pensamento criou esta confusão, esta incerteza, este constante risco de guerras, se o pensamento é o responsável, então o que acontece se o pensamento não é utilizado?

Estamos juntos investigando, explorando, perguntando para descobrir por que o homem, por todo o mundo, vive em conflito e o perpetua não apenas dentro de si mesmo, mas externamente, na sociedade, na religião, na economia e assim por diante. É realmente óbvio que o pensamento é o responsável pela confusão, pela divisão, por toda a miséria dos seres humanos. Se este fato é reconhecido, não como uma teoria ou como alguma perspectiva filosófica ou afirmação, mas o fato real de que o pensamento, embora inteligente, astucioso e erudito, é o responsável, então o que o homem deve fazer?

Dissemos também que o pensamento criou maravilhosas catedrais, templos e mesquitas, e que todas as coisas que estão dentro dos templos, das mesquitas e das igrejas são coisas inventadas pelo pensamento. O pensamento criou Deus, porque o pensamento busca encontrar segurança. Ao encontrar incerteza, insegurança e conflito neste mundo, o pensamento inventa uma entidade, um princípio, um ideal que possa trazer segurança, conforto. Mas este conforto, esta segurança, é invenção do pensamento. É bem óbvio, se você pensar muito profundamente, se você observar o seu próprio pensamento, se você observar que o pensamento, embora sutil, obtuso, sagaz ou engenhoso, criou esta divisão e este conflito. Então, podemos fazer uma pergunta: "Por que este conflito existe? Por que nós vivemos com o conflito desde tempos imemoriais – entre o bem e o mal, entre *o que é* e *o que deveria ser*, entre o real e o ideal?" Portanto, investiguemos por que existe divisão entre bom e mau, entre mal e aquilo que é belo, sagrado.

Estamos pensando juntos, não concordando ou aceitando, mas observando o estado do mundo, da sociedade na qual vivemos, seus governos, sua condição econômica, e os vários gurus com suas afirmações. Por

A Mente Imensurável

favor, tenham em mente, se me permitem a lembrança mais uma vez, que estamos tendo um diálogo, que você e o orador estão tendo uma conversa, juntos. Você não está aí sentado apenas ouvindo algumas ideias, alguns conceitos, algumas palavras. Você está compartilhando, e só poderá partilhar, participar, se você estiver realmente interessado. Mas se você considerar o que está sendo dito apenas como uma série de ideias, de conclusões, de suposições, então nosso diálogo se encerrará, e portanto não haverá comunicação entre você e o orador. Assim, você precisa estar desperto, interessado por todas as coisas que estão acontecendo no mundo: a tirania, a busca por poder, a resignação ao poder, vivendo com isso. Todo poder é mau, feio, seja ele o poder da esposa sobre o marido ou o poder dos governos pelo mundo. Onde existe poder, com ele acontecem todas as coisas horrendas.

Portanto, estamos perguntando por que o homem vive em conflito. O que é o conflito, não apenas entre duas pessoas, homem e mulher, mas também entre uma comunidade e outra, entre um grupo e outro, e assim por diante? Qual é a natureza do conflito? Não sei se alguns de vocês viram aquelas cavernas no sul da França onde, há vinte e cinco, trinta mil anos, existem figuras do homem lutando contra o mal na forma de um búfalo, etc. Por milhares de anos, nós temos vivido com o conflito. Meditar se torna um conflito. Tudo que nós fazemos ou não fazemos se torna um conflito.

O conflito existe onde há comparação? Comparação significa mensuração. Alguém se compara com outra pessoa que seja brilhante, inteligente, com o homem em alta posição, poderoso, etc. Aonde há comparação, deve haver medo, deve haver conflito. Pode-se viver absolutamente sem comparação? Pensamos que comparando-nos com alguém, estamos progredindo. Você quer ser como o seu guru, ou ultrapassar o seu guru e ir além dele. Você quer alcançar iluminação, posição; você quer um seguidor, você quer ser respeitado, e assim por diante. Portanto, onde há um vir a ser psicologicamente, deve haver conflito. É possível viver sem qualquer comparação e, portanto, sem nenhum conflito? Não diga que é impraticável. Estamos perguntando sobre o vir a ser psicológico. Uma criança se torna um adulto, e então chega à maturidade. Para aprender uma língua, precisamos de tempo; para adquirir alguma habilidade, precisamos de tempo. E estamos perguntando: Seria o vir a ser, psicologicamente, uma das razões do conflito – buscando transformar *o que é* em *o que deveria ser*? "Eu não sou

A Mente Imensurável

bom, mas eu serei bom; sou ambicioso, invejoso, mas talvez um dia eu me liberte de tudo isso". O desejo de vir a ser, que é mensuração, que é comparação seria uma das causas do conflito?

E existe alguma outra razão? Qual seja, dualidade. Isto não é filosofia; estamos examinando algo para compreender a natureza do conflito e para descobrir por nós mesmos se é possível estar totalmente, completamente, livres do conflito. O conflito desgasta o cérebro, torna a mente envelhecida. Um homem que tenha vivido sem conflito é um ser humano extraordinário. Uma enorme energia é dissipada no conflito. Portanto, é importante compreender o conflito. Vemos que a mensuração, a comparação, traz conflito. Dissemos, também, que há dualidade e que uma das razões para o conflito é essa dualidade. Existe dualidade como noite e dia, luz e sombra, alto e baixo, brilhante e obtuso, nascer e pôr do sol. Fisicamente, existe dualidade: você é uma mulher e o outro é um homem.

Mas estamos perguntando, "Existe dualidade psicológica de algum modo?" Ou existe apenas *o que é?* Eu sou violento; este é o único estado – violência, e não a ausência de violência. A não violência é apenas uma ideia; não é um fato. Onde existe violência e não vio-

J. Krishnamurti

lência, deve haver conflito. Neste país se fala interminavelmente sobre não violência, mas provavelmente vocês também sejam pessoas muito violentas. Por conseguinte, existe o fato e o não fato. O fato é que os seres humanos pelo mundo são violentos. A violência não significa apenas violência física, mas também imitação, conformidade, obediência, aceitação. Isto é *o que é*; o outro não. Mas se você está condicionado ao outro, ou seja, à busca por não violência enquanto você é violento, que significa se afastar do fato, então você deve ter conflito. O que consiste em eu ser violento. Eu não estou de fato buscando a não violência porque, enquanto a busco, estou sendo violento, estou plantando as sementes da violência. Portanto, há apenas um fato, qual seja, eu sou violento.

    Na compreensão da natureza e estrutura da violência, deve haver o término da violência, mas o término da violência não é um problema. Nossas mentes são treinadas, educadas, para resolver problemas: matemáticos, econômicos, políticos, etc. Somos treinados e educados assim. Nossos cérebros são condicionados para lidar mecanicamente com problemas, e fazemos da vida uma série de problemas intermináveis psicologicamente. Então, existe apenas o fato, não o oposto. Isto está claro – que o ideal, o princípio, aquilo que você chama de nobre é

A Mente Imensurável

tudo ilusão? O que é um fato é que somos violentos, ignorantes, corruptos, inseguros, e assim por diante. Estes são fatos, e temos que lidar com fatos. Os fatos, se você os encara, não criam problemas. Eu descubro que sou violento. E não tenho o seu oposto. Eu rejeito o oposto totalmente; ele não tem sentido. Existe apenas este fato. Agora, como eu lido com o fato? Como eu abordo o fato? Como eu olho para ele? Qual é a minha motivação ao olhar para o fato? Qual a direção na qual desejo que o fato se mova? Devo estar desperto para a natureza e estrutura do fato, cônscio, sem escolha, do fato.

Você está fazendo isso enquanto estamos conversando? Ou está apenas ouvindo muitas palavras e pegando daqui e dali algumas que lhe sejam convenientes e adequadas, e não escutando totalmente sua própria investigação?

Como, então, lidar com o fato? Ou seja, como eu observo o fato de que sou violento? Esta violência é mostrada quando estou com raiva, quando sinto ciúmes, quando tento me comparar com outro. Se estou agindo assim, então é impossível encarar os fatos. Uma boa mente encara fatos. Se você está tratando de negócios, você encara o fato, lida com o fato, transforma o fato. Você não finge que fará alguma coisa fora do fato; se

J. Krishnamurti

você o fizer, não é um bom homem de negócios. Mas aqui nós somos tão pouco efetivos; não mudamos porque não lidamos com os fatos. Psicologicamente, internamente, nós os evitamos. Nós fugimos deles ou, quando os descobrimos, passamos a suprimi-los. Portanto, não há resolução de nenhum deles.

A partir disso, podemos passar a algo mais que é importante: o que é uma boa mente? Alguma vez você já fez esta pergunta? Uma mente é boa quando está plena de conhecimento? E o que é conhecimento? Somos todos muito orgulhosos por ter conhecimento: acadêmico, pela experiência, através de incidentes, acidentes. A memória acumulada é conhecimento. Então uma mente boa é aquela que está repleta de conhecimento? Uma boa mente é uma mente livre, abrangente, global? Ou é uma mente paroquial, estreita, nacionalista, tradicional? Esta não é uma boa mente, por certo. Uma boa mente é uma mente livre. Não é uma mente contemporânea. Uma boa mente não é do tempo; uma boa mente não está ocupada com o tempo, com o ambiente. Ela pode lidar com o ambiente, pode lidar com o tempo, mas é totalmente livre em si mesma. Tal mente não tem medo. O orador assim fala porque nossas mentes têm sido tão instruídas, tão treinadas, que não somos originais, e não há profundidade. O

A Mente Imensurável

conhecimento é sempre superficial. Estamos, pois, preocupados com a compreensão do ser humano – sua mente, sua ação, seu comportamento, suas respostas, que são limitados porque os seus sentidos são limitados. É possível compreender a profundidade e a natureza do conflito e ser completamente, totalmente, livre dele? Deve-se ter uma boa mente – não apenas um acúmulo de palavras –, que não quer dizer uma mente esperta, habilidosa. A maioria de nós tem mentes muito habilidosas, mas não boas mentes. Somos muito argutos, habilidosos, sutis, enganosos, desonestos, mas isso não é uma boa mente.

É possível, vivendo neste mundo moderno, com todas as suas atividades, influências, os jornais e a constante repetição, que nós tenhamos uma boa mente? Nossas mentes têm sido programadas como um computador. Você tem sido programado como um hindu pelos últimos três mil anos, e então você repete. Tal repetição indica que você não tem uma boa mente, uma mente que seja forte, saudável, ativa, decidida, totalmente alerta. Tal mente é necessária. Somente então será possível trazer uma revolução psicológica e, dessa forma, uma nova sociedade, uma nova cultura.

Espero que você esteja escutando. Existe a arte de escutar, que é ouvir, ver a verdade e agir. Vemos alguma coisa como verdadeira, a compreendemos não apenas logicamente, mas muito claramente, porém não agimos. Há um intervalo entre a percepção e a ação. Entre a percepção e a ação, ocorrem outros incidentes; por isso você nunca age. Quando você vir que a violência em você é um fato e não tentar se tornar não violento, que não é factual, mas perceber a natureza da violência, olhar sua complexidade, ouvir sua própria violência, ela revelará sua natureza. Você pode saber isso por si mesmo. Se você perceber sua violência e agir, então haverá o fim da violência, completamente.

Como dissemos ontem, uma mente tagarela é uma mente doente. Uma mente tagarela está continuamente falando, pensando, não apenas em negócios, problemas matemáticos e assim por diante, mas nos problemas de relacionamento com a esposa, marido, filhos, vizinho. Está constantemente ocupada. Tal ocupação inevitavelmente desgastará a capacidade do cérebro. Conhecemos o assunto; é óbvio. É possível, então, não tagarelar? Quando percebemos o tagarelar e fazemos a pergunta se é possível cessá-lo, então fazemos disso um problema.

Nossos cérebros estão treinados para resolver problemas, então pensamos que podemos resolver este problema dizendo, "Não devo tagarelar", e tentamos cessá-lo. E

A Mente Imensurável

então surge a questão: quem é o controlador? O controlador é diferente do controlado? Eis o problema, e você está pronto para resolvê-lo. Tal é o que está acontecendo politicamente mundo afora. Eles têm inúmeros problemas, e seus cérebros, como os nossos, são treinados para resolver problemas. Ao resolver um problema, eles multiplicam ou criam outros problemas; isso está acontecendo pelo mundo todo. Portanto, veja o fato de que você é violento e faça com que a história da violência entenda a si mesma. Ela entenderá se sua mente estiver quieta. Mas não faça disso um problema – ou seja, como fazer o cérebro ficar quieto. O que você chama de meditação é uma fuga da vida, e você tem outros problemas na meditação, que se tornam todos completamente tolos, sem sentido.

É possível olhar, observar, sem qualquer propensão, para sua ambição, sua inveja, ganância e arrogância? Você já notou como as pessoas são arrogantes? Os políticos certamente são; é compreensível. Eles querem poder, posição, prestígio. Onde há poder, existe o mal. O poder absoluto é o mal absoluto. Agora, você é arrogante? O homem que está tentando se tornar algo psicologicamente é arrogante. Uma pessoa é arrogante quando tenta se tornar algo que não é. Todos queremos alcançar um estado perpétuo de felicidade, a felicidade interminável, por meio da iluminação, o que quer que isso possa significar. E um discípulo, com seus estranhos deuses e tudo o mais, tenta se tornar iluminado. O vir a ser é o movimento da arrogância. Ele nega totalmente o senso de humildade. Quando está encarando os fatos, você deve ser totalmente humilde, e não cultivar a humildade. Somente o vaidoso cultiva a humildade. Quando se é vaidoso, arrogante, pode-se cultivar a humildade, mas essa humildade ainda é arrogância. Então você descobre por si mesmo que é arrogante. A arrogância pode ser por você ser um grande cientista, que tenha ganho o prêmio Nobel, ou por você ser famoso, ou por ser um escritor e querer ser famoso.

Assim, estamos todos trilhando a mesma senda do vir a ser e, portanto, estamos todos sendo totalmente desonestos, fingindo ser o que não somos. Por outro lado, uma boa mente encara o fato, de ser violento, arrogante. Ninguém tem que lhe dizer que você é arrogante; é tão óbvio. Através do modo que você fala, que se comporta, se você estiver integralmente desperto, você verá a natureza da arrogância. Olhe para ela, veja-a, compreenda--a, e retenha essa compreensão, não tente escapar dela; assim ela é. Quando há uma percepção daquilo que é – arrogância –, a própria percepção demanda ação imediata. Isso é inteligência. Se eu vejo algo arriscado – e a violência é um enorme risco para uma mente saudável, sã, racional, apaixonada –, se existe a percepção, essa própria percepção demanda ação imediata. Isto é o seu término. A percepção não requer análise – a percepção de algo real, compreendendo-o, olhando-o, o faz cessar. A partir daí você pode analisar. E esta análise será lógica. Mas se você começar com lógica, com análise, para descobrir a causa, então você precisará de tempo, e a causa se multiplicará. Tudo isso é muito óbvio.

É possível viver sem um único problema? Não estamos falando de problemas matemáticos e assim por diante, mas de problemas no relacionamento. Não ter problemas no relacionamento – isto é possível? Você tem problemas, não tem? Com sua esposa, com seu pai, com sua mãe, com seus filhos. Por quê? Estamos interessados pela vida diária. Se sua vida diária não está em ordem, você pode meditar até ficar com a face azul, mas essa meditação não terá significado. É simplesmente uma fuga; você pode igualmente tomar uma droga e se divertir. Mas se você não põe sua casa em ordem, que é seu relacionamento, se esta casa não está em ordem, então sua sociedade não estará em ordem. Você deve começar por perto para chegar longe. O "perto" é o seu relacionamento. Por que temos problemas aí? Vamos investigar por que você tem problemas com sua esposa, com seu marido, com seus filhos, com seu vizinho, com seu governo, com sua comunidade e todo o resto. Ou seja, o que é relacionamento?

A vida é um movimento no relacionamento. Não há escapatória disso. Você pode se tornar um ermitão, tomar votos, usar vestimentas estranhas e tudo o mais, pensando que assim você seja extraordinário, excepcional. Mas você está em relação. Compreender o relacionamento é a coisa mais importante na vida – não Deus, nem todas as escrituras, mas compreender a profundidade, o significado, a beleza, a qualidade do relacionamento. Vocês estão se afundando na profusão de palavras? Ou vocês captam instantaneamente a profundidade, a beleza, a qualidade do relacionamento sem mais explicações, sem mais análise, e veem a importância extraordinária do relacionamento? Aonde não há relacionamento, há desordem.

A maioria de nós tem lares, casas, apartamentos, e nós os possuímos, somos proprietários. Nunca percebemos que somos também hóspedes naquela casa. Ser um hóspede em uma casa, em nossa própria casa – você compreende o que isso significa? Significa que é preciso ser instrutor e também discípulo. Não há instrutor fora de você. Você é o instrutor, e você é também o discípulo, alguém que está aprendendo – não do instrutor, que é um guru. Mas você está aprendendo e ensinando. Você é o dono de sua própria casa, e é também o hóspede em sua casa, o que significa que você cuida e toma conta da casa, você cuida de quem quer que esteja na casa porque você é um hóspede. O orador viajou por todo o mundo nos últimos sessenta anos, por diferentes países, e ficou em diversas casas. Onde quer que ele esteja, ele é um hóspede. Isso significa que ele está sempre se ajustando, como um rio com um grande volume de água, que circunda cada curva, cada rocha. Um hóspede é assim. Agora voltemos.

O relacionamento é uma das coisas mais importantes na vida, obviamente. Por que promovemos tanta confusão e tanta miséria? Ao criarmos o conflito, dizemos que o relacionamento se tornou um problema, e estamos prontos para resolvê-lo, pois nossas mentes são treinadas deste modo. Existem problemas em nossa família, e então tentamos resolvê-los. Ao resolvê-los, teremos mais problemas, porque nossas mentes são treinadas para resolver problemas e nunca são livres para olhar a beleza ou a profundidade do relacionamento. Então, vejamos.

O que é o relacionamento? A própria palavra implica em estar em contato com outro. Não o contato físico,

J. Krishnamurti

nem o contato sexual, que todos vocês conhecem, mas estar em contato mentalmente, emocionalmente, internamente, de modo que não haja divisão neste contato. Isto é relacionamento. Mas você não obteve este contato. Você é ambicioso, e sua esposa também é ambiciosa. Você quer isto, e ela quer algo mais. Pode ser que ela esteja certa e você errado. Ela quer viver em uma casa maravilhosa, e você diz, "Por favor, pelo amor de Deus". Ela quer ser popular, e você não liga. Você é um acadêmico, um professor, vivendo em sua própria pequena caverna, e ela também é assim. Então vocês nunca estão em contato um com o outro, exceto sexualmente. Isto é um fato. E você denomina isso "relacionamento". Existe a sua imagem sobre ela e a imagem dela sobre você. Você não é gentil, você é brutal, você é isto, você é aquilo.

Onde entra o amor nisso tudo? Quando você diz para sua esposa, "Eu te amo", se você alguma vez disse isso, o que significa? Não sei se você já disse isso; eu duvido. Mas se você o diz, o que significa – amar um outro? Relacionamento significa amar um outro. O que esta palavra significa? Usamos esta palavra em propagandas: "Eu amo Coca-Cola", "Eu amo isto", "Eu amo aquilo". Ou você diz, "Eu amo Deus. Eu amo meu guru". O que este amor significa? Ele é baseado em recompensa e pu-

A Mente Imensurável

nição? Veja como somos sempre capturados pelos dois: recompensa e punição. Eu sigo o guru porque ele me promete o paraíso, me dá conforto. Eu deixo de fazer algo porque ele irá me punir. Então somos pegos nisso. O relacionamento é um processo de recompensa e punição? O amor é um movimento assim? Pense a respeito. Você nunca encontra sua esposa ou seu marido a não ser fisicamente, nunca psicologicamente. E porque você nunca encontra, há conflito.

Encontrar sua esposa, seu marido, seus filhos, seu vizinho ao mesmo tempo, no mesmo nível, com a mesma intensidade – isto é amor. Não encontrar fisicamente; não quero dizer isso. Para estar com alguém, você precisa encontrá-lo, se ele também o quiser, ao mesmo tempo, no mesmo nível, com a mesma intensidade. Então isso é relacionamento. Mas se você é ambicioso, você segue esse caminho, tornando-se nobre ou ignóbil, e o outro segue um caminho diverso. Vocês podem ser casados, ter filhos e tudo o mais, mas vocês nunca se encontram. Isso nutre um desesperador senso de solidão. Você não conhece tudo isso? Você não tem relacionamento com ninguém – com sua esposa, com seu chefe, seu superior – porque você é autocentrado. Assim, este autocentrismo, esta falta de relacionamento, traz grande solidão.

J. Krishnamurti

E descobrindo esta solidão, você faz desta solidão um problema: "O que fazer quando estou solitário?" Seu cérebro está então pronto para resolver o problema. Mas você nunca permanece com aquela solidão, você nunca investiga a causa dela. Onde existe amor, não existe solidão. Se você ama sua esposa, se você é o marido mais extraordinário ou o que quer que seja, se existe amor em seu coração, então não há problema. Porque você não tem amor, você tem mil problemas. Eu o afirmo, mas não faça disso um problema. Olhe para o fato. O fato é que não somos sensíveis, não temos a profundidade da beleza. Não a beleza em imagens, na pintura – não me refiro a isso –, mas a profundidade da beleza. O fato é que não amamos. Olhe para o fato, demore-se nele, veja que é assim, não fuja disso, não tente racionalizar. É assim – você não ama sua esposa. Você sabe o que significa dizer isso para si mesmo? Você deveria chorar. Eu quero chorar por todos vocês.

Pois é como ter duas linhas paralelas, que nunca se encontram e, portanto, o conflito cresce dia após dia, até que você morra. Veja o fato de que não há amor em seu coração. Ter a mente em seu coração, não o coração em sua mente – você vê a diferença? Achamos que o amor pode ser alcançado, cultivado. O amor não é algo para

A Mente Imensurável

ser cultivado. Ou existe amor ou não existe. Se não existe, olhe para isto, retenha-o, veja, perceba o que você é sem amor em seu coração. Você então se torna apenas uma máquina, insensível, vulgar, duro, preocupado apenas com sexo e prazer. Por favor, não estou atormentando você, não o estou repreendendo. Mas apenas mostrando o que aconteceu com você. Seu conhecimento, seus livros destruíram você, porque o amor não é comprado dos livros. Ele não reside no conhecimento. Conhecimento e amor não caminham juntos. Quando você diz, "Eu conheço minha esposa", isto é seu conhecimento, que é a sua imagem sobre ela. Este conhecimento foi reunido pelo pensamento, e o pensamento não é amor.

Assim, tendo ouvido tudo isso, você tem amor em seu coração? Ou isso é alguma coisa romântica, sem sentido, impraticável, sem valor? Ele não lhe propicia dinheiro algum. É dessa maneira. Tendo ouvido tudo isso, há uma compreensão da profundidade desta palavra, de modo que sua mente esteja no coração? Só então você possui um reto relacionamento. Quando você tem um reto relacionamento, que significa "amor", você nunca pode errar; e dessa forma está tudo certo.

Bombaim, 23 de janeiro de 1983.

Existe Evolução Psicológica?

Como iremos lidar com um assunto difícil, devemos perceber juntos o que é verdadeiro e o que é falso, por nós mesmos, e não sermos informados sobre o que seja falso ou verdadeiro, sobre o que seja ignorância ou conhecimento. Devemos encontrar um recinto quieto em nós. Vivendo nesta cidade assustadora, em espaços pequenos, trabalhando o dia inteiro, nos deslocando todo dia para o trabalho, a grandes distâncias em trens e ônibus lotados, devemos encontrar por nós próprios um lugar quieto, não em uma casa ou em um jardim, ou numa via deserta, mas profundamente em nós, e, a partir desse lugar, agir, viver e descobrir por nós mesmos o que é a beleza, o que é o tempo, a natureza e o movimento do medo, a busca por prazer e o fim do sofrimento. Não devemos encontrar tal lugar na mente, mas no coração, com a mente no coração, porque aonde há afeição e amor, intelecto, compreensão, daí vem a claridade, e então existe ação. Mas a maioria de nós vive vidas estressadas, conflituosas, com muita pressão ao nosso redor, com os terríveis eventos acontecendo no mundo.

A Mente Imensurável

Portanto, devemos encontrar por nós mesmos algum espaço interno – um espaço que não é criado pelo pensamento, um espaço não contaminado, claro, no qual existe uma luz que não é acesa por outro – e ser uma luz para nós mesmos, de modo que sejamos totalmente livres. Pois nós não somos seres humanos livres. Nós achamos que somos livres. Pensamos que somos livres porque podemos escolher, porque podemos fazer o que queremos. Mas liberdade é algo inteiramente diferente do desejo de realizar nossas vontades. Assim, devemos descobrir por nós mesmos – sem guia, sem ajuda, sem nenhum agente externo nos dizendo o que fazer, como nos comportar ou o que seja a ação correta – um espaço em nós próprios que não tenha fim e nem começo.

Se me permitem evidenciar novamente, isto não é uma palestra, uma explicação de um certo assunto para que você seja instruído. É o que significa normalmente uma palestra, mas isto não é uma palestra. Aqui, estamos tendo uma conversa como dois amigos, quiçá caminhando por uma estrada tranquila, silenciosa, cheia de árvores, com a beleza de flores e o cantar de muitos pássaros; ou sentados em um banco ermo, recôndito, e estamos tendo um diálogo. Nós, vocês e o orador, estamos preocupados com nossas vidas diárias, não com algo além ou com algo romântico e fantástico. Porque se nós não fizermos nossas vidas claras, serenas, não caóticas, então o que quer que façamos não terá significado.

Devemos começar bem de perto para chegar longe. O "perto" é o que somos. Então, é sua responsabilidade refletir conjuntamente, e não aceitar. E você deve ser muito cético, um ceticismo que não seja podado pelo medo, de modo que você possa questionar não apenas o que o orador está dizendo, mas também o que você pensa, o que você crê, sua fé, suas conclusões, sua religião. Deve-se fazer um imenso questionamento, duvidar, investigar, pois a religião, no mundo todo, teve um notável papel em estreitar a mente, em restringir a investigação das pessoas pela dúvida, pelo questionamento, pela exploração profunda. Dessa forma, olharemos para muitas coisas que confrontam a nossa vida diária. Não falaremos sobre qualquer filosofia ou dogma, nem encorajaremos qualquer fé, mas devemos ter uma mente que esteja questionando, duvidando, demandando, para descobrir por nós mesmos o que é verdadeiro, o que é ilusório, o que é fantástico e o que é falso.

Antes de tudo, iremos investigar o que é a beleza. Você pode perguntar o que isso tem a ver com nossa vida diária. Nossa vida diária é bastante feia, autocentra-

A Mente Imensurável

da, focada consigo mesma; nossa vida diária é trabalho, conflito, dor, ansiedade, e aquele senso de solidão desesperadora. Isto é nossa vida diária; e para compreendê-la, devemos ter um grande senso de percepção, ver realmente o que está acontecendo.

Um dos fatores em nossa vida é o tempo. Descobriremos o que é o tempo, que papel tem o tempo em nossas vidas, e se o tempo como um processo de divisão, com um início e um fim, o tempo como um vir a ser – separadamente do tempo cronológico, do nascer e do pôr do sol, da Lua cheia e da Lua nova – faz parte da beleza ou a exclui. É importante compreender isso, porque perdemos todo o senso de um modo de vida estético. Perdemos o senso de beleza natural, não apenas a beleza de um rosto ou o bom gosto em roupas e assim por diante, mas a qualidade da beleza. A beleza não pode existir sem amor. A beleza não é temporal. A criação não é temporal.

Portanto, o tempo é um grande fator em nossa vida. Existe o tempo pelo relógio, o tempo cronológico – o tempo para aprender uma língua, uma habilidade, o tempo para alcançar algo neste mundo, para um atendente se tornar um executivo e assim por diante. Existe o tempo nesta direção. Mas existe o tempo psicológico, ou seja,

J. Krishnamurti

internamente? Existe o tempo como um progresso daqui para lá, ideologicamente, no sentido de se tornar mais nobre, mais livre de ambição, raiva, violência? Existe o tempo na esfera da psique? Tempo é evolução. Da semente para uma árvore, do bebê para a maturidade, o crescimento, o vir a ser – tudo implica tempo, tempo como evolução. Agora, perguntamos se existe evolução psicológica de algum modo. Deve-se exercitar o cérebro, pensar junto, questionar para descobrir a implicação do tempo. É muito importante, pois o tempo e o pensamento são a raiz do medo. O medo não pode cessar ou diminuir ou ser dissipado se você não compreende a natureza do tempo e a natureza do pensamento, que são a raiz de todo medo.

Existe o tempo físico – a Lua nova se tornando Lua cheia, a semente se desenvolvendo em uma grande árvore. O tempo é necessário para aprender uma língua, uma habilidade. O tempo é necessário para acumular conhecimento; aí o tempo é absolutamente necessário. Você pode aprender uma língua em uma semana ou em seis meses. Para ir daqui à sua casa, de um ponto a outro, leva tempo. Todo movimento físico, atividade física, aprendizado, requer tempo.

A psique é o agrupamento de todo seu pensar, de todos os seus sentimentos, de todas as suas conclusões,

A Mente Imensurável

crenças, esperanças, medos. Tudo isso é o que você acumulou, que é sua consciência. É o que você é, o que sua consciência é. Sua consciência é constituída por todas estas coisas: seus deuses, seu conhecimento, sua fé, suas esperanças, seus medos, seus prazeres, suas conclusões, sua solidão, e o grande medo do sofrimento, da dor. Tudo isso é sua consciência. Estamos perguntando se a consciência tem evolução, de alguma forma.

Evolução significa vir a ser – mais, mais e mais. Ou seja, eu sou ambicioso, invejoso, violento. A ambição pode evoluir para não ambição? Podem a raiva e a solidão gradualmente se tornar alguma outra coisa? Por favor, este é um assunto bem difícil, porque toda a nossa tradição, todo o nosso treinamento religioso, nossa crença, nossa fé e toda a assim chamada "literatura sagrada" lhe diz que se você fizer um esforço, se você se empenhar, se você meditar, você irá se mover daqui para lá, do que você é para o que deveria ser, e que isto é evolução.

Agora, o orador está negando tudo isso. O orador está dizendo que a ganância nunca pode se tornar "ganância aperfeiçoada". Existe apenas o término de algo, não o vir a ser algo. A maioria de vocês provavelmente acredita em reencarnação. É bem óbvio por que você

J. Krishnamurti

acredita nela. Quer dizer, você vai desta para a próxima vida, na qual você terá melhores oportunidades, será um pouco mais nobre, terá um pouco mais de conforto, mais iluminação; ou seja, a partir de "o que você é" você se torna "o que deveria ser". Isto é chamado "evolução". O orador está questionando. Ele diz que não existe coisa tal como evolução psicológica. Você deve compreender a natureza desta afirmação, o que está implícito nela – a iluminação, a profunda percepção daquilo que é verdadeiro, que está além do tempo, não existe através do progresso, através da continuidade. Assim, não há movimento algum como evolução da psique, o que significa que não existe o vir a ser. Eu não me torno nobre, eu não alcanço a iluminação se eu praticar, se eu me dedicar, se eu negar ou controlar e assim por diante, que seria uma gradação para a obtenção. Deve-se compreender a natureza do tempo. "Tempo" essencialmente significa "dividir, quebrar". O tempo implica em um começo e um fim.

Conversaremos sobre a natureza do medo, se o medo pode terminar agora ou se deve terminar gradualmente. Estamos acostumados com a ideia de que gradualmente iremos nos livrar do medo, ou seja, "Eu tenho medo, mas dê-me tempo e eu o superarei". Descobriremos por nós mesmos se o medo pode desaparecer através do tempo

A Mente Imensurável

ou se o próprio tempo é a raiz do medo. Qual é a raiz do medo, qual é a sua causa? O que é o medo? Vocês sabem o que o medo é: medo de não vir a ser, de não alcançar, medo do escuro, medo da autoridade, medo de sua esposa ou marido. O medo tem muitos aspectos. Não estamos interessados nas variadas faces do medo ou na extinção de um ou dois medos – seria como cortar os galhos de uma árvore. Mas se você quiser destruir o medo, deve arrancá-lo pela raiz.

Olhe para o seu próprio medo. Você pode vestir roupas santificadas, tomar votos, e fazer todo tipo de coisa, mas existe medo em você. Então olhe para esse medo. O que é o medo? O medo de um acidente, o medo da doença, e, obviamente, o medo último, da morte ou do viver. A maioria dos que usam estas estranhas vestes e adornos têm medo de viver. O que o orador está dizendo não fará qualquer diferença para aqueles que estão vestidos nestas vestes ornamentadas, fará? Eles prosseguem porque acreditam que o medo pode ser submetido a uma ideia e que se livrarão dele. O medo é demasiado profundo para ser submetido, dispensado, controlado, suprimido. Deve-se investigar a sua raiz.

Qual é a raiz do medo? Não é o tempo? Não é a recordação? Não é uma experiência que você teve, que foi dolorosa, e você teme que ela retorne? Estes são todos os sintomas. Não estamos tratando de sintomas. Estamos interessados em saber se é possível desenraizar completamente todo o medo. Não estamos ocupados com um medo particular, com o seu próprio medo especial, neurótico, mas com a natureza, a estrutura e a causa do medo. Porque onde existe uma causa, existe um término. Uma das causas do medo é o tempo, ou seja, o futuro, o medo do que possa acontecer, medo do passado que é tempo, que é uma recordação, que é pensamento. Então perguntamos, "O tempo e o pensamento são a raiz do medo, são eles a causa do medo?" Eu tenho medo do que possa acontecer – isto é o futuro. Ou tenho medo que algo que aconteceu no passado possa acontecer novamente, que é o passado invadindo o presente, modificando-o e prosseguindo. Assim, o tempo é um dos fatores do medo. É tão óbvio, não é?

Estamos, agora, perguntando se o pensamento é também um fator do medo e se existe uma diferença entre o tempo e o pensamento. Você pode resolver por si mesmo a natureza do tempo. O tempo é a divisão em ontem, hoje, e amanhã – a lembrança de algo doloroso que aconteceu uma semana atrás, o passado se projetando no futuro, e o medo do que possa acontecer. Agora,

A Mente Imensurável

o pensamento é uma das causas ou a causa do medo?

Então, o que é o pensamento? O que é o pensar? O homem mais ignorante, que não sabe ler ou escrever e que vive em uma pequena aldeia, inserido na pobreza, infeliz, ele também pensa como você pensa, como um cientista pensa. Portanto, o pensamento é partilhado por todos. Não se trata do seu pensamento, não há pensamento individual. Eu sei que é difícil aceitar isso, mas adentre o assunto. Estamos perguntando, "O pensamento é um dos fatores do medo?" Estamos investigando o que é o pensar. O pensar é partilhado por toda a humanidade, seja a pessoa mais educada, sofisticada, rica e poderosa ou a mais simples, ignorante e quase morrendo de fome. É comum a todos. Portanto, não é o *seu* pensar. Você pode expressar seu pensamento de um modo e eu posso expressá-lo em palavras diferentes. Mas o fato é que nós dois pensamos. E o pensar não é seu ou meu; é pensar. Então, o que é o pensar? Por que ele se tornou tão importante em nossa vida? O amor e o pensamento não podem caminhar juntos. A compaixão não é produto do pensamento. O amor não pode existir na sombra do pensamento. O amor não é recordação. Então, por favor, dê o seu coração e a sua mente para a compreensão disto – o pensar é comum a todos nós.

J. Krishnamurti

Não é individual. O pensar é partilhado por todos.

O que é o pensar? Quando esta questão lhe é colocada, você começa a pensar, não é? Ou você apenas ouve a questão? Se você ouve a questão, o que significa que sua mente não está interferindo com suas conclusões, com suas ideias e assim por diante; se você está escutando com toda a sua atenção, que significa com todos os seus sentidos totalmente despertos, então verá por si mesmo qual é a origem do pensamento. A origem do pensamento é experiência. A experiência fornece conhecimento, seja ele científico ou o conhecimento sobre sua esposa ou marido. A experiência, o conhecimento, é armazenada no cérebro como memória, e a resposta da memória é pensamento. Isso é muito simples, é um fato. Você não pode pensar se não houver memória, se não houver conhecimento, se não houver experiência. Então, o pensar é um processo do tempo, porque o conhecimento é um processo do tempo. E o conhecimento sobre qualquer coisa nunca pode ser completo, incluindo o conhecimento de sua esposa, do seu marido ou do seu guru. O conhecimento nunca pode ser completo. Logo, o pensamento nunca pode ser completo. Ele é sempre fragmentado.

Assim, o medo é filho do pensamento. Tenho medo porque eu fiz algo errado e devo ser condenado por isso.

A Mente Imensurável

Ou seja, eu penso sobre isso. Então, o pensamento e o tempo são os fatores do medo. Agora, o pensamento é diferente do tempo? Ou o pensamento é tempo? O pensamento é um movimento, não é? É um processo material. O que quer que o pensamento tenha feito é material. Seus deuses são criados pelo pensamento, seus rituais são criados pelo pensamento. Todas as coisas que acontecem em nome da religião são criadas pelo pensamento. Os deuses, os gurus, tudo é criado pelo pensamento. O pensamento é limitado, fragmentado porque o conhecimento é limitado, e todas as ações, por conseguinte, se tornam limitadas. E onde existe limitação, deve haver medo. E estamos perguntando, "O pensamento e o tempo atuam conjuntamente ou de forma diversificada?" Ou existe apenas o pensamento, que se divide em tempo, progresso, evolução, vir a ser. Por favor, explore essas questões, investigue. Não deixe seu cérebro se tornar embotado pelo conhecimento, por toda a tolice que você produz. A vida é intelecto, emoção e sentidos. Mas se você permite que o pensamento os domine, como você o faz, então sua vida se torna fragmentada, rasa, vazia.

Devemos conversar sobre o que é o amor. Você diria que ama alguém, que ama sem apego, sem ciúme? Se existe apego, não há amor. Se há qualquer tipo de antagonismo ou ódio, o amor não pode existir. Onde há medo, o amor não pode existir. Onde há ambição, o amor não pode existir. Onde existe poder de qualquer tipo, o outro não pode estar. Se você tem poder sobre sua esposa, ou se você possui seu marido, ou se você é ambicioso, então o amor não está aí. Estamos, pois, perguntando, "Você ama?" Porque sem amor, o sofrimento continuará.

Devemos também buscar, investigar, se existe uma possibilidade de cessar o sofrimento, porque todas estas coisas estão ligadas. O sofrimento não é diferente do medo. O sofrimento não é diferente do pensamento. O sofrimento não é diferente do ódio, das injúrias psicológicas que recebemos. Estão todos relacionados uns com os outros. É um tema só, não temas separados. É algo que você deve abordar totalmente, não parcialmente. Mas se você aborda o tema intelectualmente, idealisticamente, romanticamente, então você não vê a totalidade da vida. Estamos perguntando se existe a possibilidade de término do sofrimento. O medo, o prazer e o sofrimento existem desde tempos imemoriais. O homem sempre teve estes três fatores na vida: o medo, a busca por prazer e o sofrimento. Aparentemente, o homem não foi além deles. Ele tentou todo método, todo sistema que pudesse imaginar; tentou suprimi-los e escapar deles. Ele tentou inventar um Deus e submeter todos eles a esta invenção, mas não funcionou, tampouco.

Portanto, devemos descobrir se o sofrimento pode cessar, e compreender a natureza do sofrimento, a causa do sofrimento. Esta causa é diferente do medo? Esta causa é diferente do prazer? Existe o prazer da conquista, o prazer da posse, o prazer de ter grande poder, o prazer do talento, o prazer da riqueza. Não sei se vocês notaram que este país está se tornando cada vez mais materialista. O dinheiro importa muito para todos vocês, e vocês não veneram Deus, mas o dinheiro. Se você está seguindo essa trilha da felicidade material, você acabará no caos. O mundo está fazendo isso. Existe a ameaça da guerra, da bomba atômica. Mas você não compreende! A busca por prazer é infinita, interminável – não apenas prazer sexual, mas o prazer de se tornar alguma coisa, o prazer da conquista, o prazer de estar apegado, seja a uma pessoa, a uma ideia ou a uma conclusão. Enquanto você está perseguindo o prazer, existe sempre a sombra do medo. E onde existe medo, há sofrimento.

Então, por favor, não considere uma coisa como se fosse algo separado. Elas estão todas juntas, são todas inter-relacionadas, e deve-se lidar com elas todas integralmente, não separadamente. Fique claro que não estamos lidando com o sofrimento isoladamente, como se fosse algo diferente do medo. Estamos olhando, buscando a natureza do sofrimento e o seu término, porque onde existe sofrimento, não há amor.

O sofrimento se expressa de muitas formas: o sofrimento da solidão, o sofrimento de ver, neste vasto país, a pobreza, a corrupção, a grande desconsideração por outros seres humanos. Quando você observa estes fatos dia após dia, isto é sofrimento. E sofrimento é a perda de alguém que você ama, o que quer que este amor possa significar. Existe o sofrimento da perda, o sofrimento de interromper algo que você acalentava, algo a que você havia se apegado, o sofrimento da dúvida, o sofrimento de ver sua própria vida ser como uma concha vazia, uma existência sem significado. Você pode ter dinheiro, sexo, filhos, estar na moda, ser rico, mas é uma vida vazia; não há profundidade. Ver isso, perceber sua natureza, é também sofrimento. Existem o sofrimento de um homem que tem tudo e ainda assim não tem nada e o sofrimento da ignorância.

O sofrimento pode terminar? Não se trata de seu sofrimento. É também meu e de outros. Não lide com o sofrimento como uma coisa preciosa sua, particular. Ele

A Mente Imensurável

é partilhado por toda a humanidade. Você pode lidar com ele como seu sofrimento particular, seu sofrimento privado e silencioso, mas é o sofrimento de todos os seres humanos, seja homem ou mulher, rico ou pobre, sofisticado ou considerado superior por alguém. Portanto, não lide, por favor, com todos estes fatores, como o medo, o prazer, o sofrimento, o amor e assim por diante, como questões separadas. Você deve abordá-las de modo integral, não fragmentariamente. Se você as aborda fragmentariamente, nunca irá resolvê-las. Assim, olhe para a angústia, para a dor, para o sofrimento como um movimento da vida, como um movimento integral da vida, não como algo diverso à vida. Isso é nossa vida diária. Para descobrir se existe um fim a toda esta miséria, conflito, dor, sofrimento e medo, deve-se ser capaz de percebê-los, deve-se ser capaz de estar cônscio deles.

Devemos compreender o que é percepção, como olhar para tudo isto. O observador que olha para a pobreza, a solidão, a ansiedade, a incerteza, o sofrimento é diferente do observado? Ou tudo isso *é* o observador? Nós separamos o "eu", que é o observador, daquilo que é observado. Eu estou sofrendo, e digo para mim mesmo que o sofrimento deve acabar e que, para que ele acabe, devo suprimi-lo, escapar dele, seguir um determinado sistema, significando que sou diferente do sofrimento, da dor, do medo, do prazer. Você é diferente de tudo isso? Você pode achar que existe algo em você que é totalmente diferente de tudo isso. Se você pensa assim, é parte do seu pensamento, mas não há nada de sagrado aí.

O observador é diferente do observado? Não torne isso absurdo perguntando, "Eu sou diferente da árvore?" Mas quando você está nervoso, é invejoso, brutal, violento, você não é tudo isso? O meditador é a meditação. O observador é o observado. Antes, nós dividimos o observador do observado. O que significa que havia uma divisão entre um e o outro. E assim surgiu o conflito. Você poderia, então, controlá-lo, suprimi-lo, lutar contra ele. Mas você é aquilo; você é o sofrimento, o medo, o prazer, você é o total aglomerado de tudo isso. Perceber este fato é uma formidável realidade. Não há divisão e, portanto, não há conflito. Quando o observador é o observado, surge uma ação totalmente diferente. Ocorre uma ação química completamente diversa.

Mas não se trata de uma conquista intelectual – ver a verdade disso, não o conceito intelectual da verdade, mas o fato de que você não é diferente de suas qualidades. Você não é diferente de sua raiva, ciúme e ódio; você é tudo isso. Você sabe o que acontece quando você

A Mente Imensurável

percebe isso, não verbalmente, mas internamente? Descubra. Você está esperando que eu lhe diga. Não o farei. Você percebe como sua mente atua? Você está esperando que eu lhe diga; não quer descobrir. Se eu lhe disser, então você dirá "sim", "certo" ou "errado", porém continuará. Mas descubra por si mesmo a verdade de que o observador é o observado, o vidente é o que é visto. Quando você observa a Lua, a Lua cheia surgindo da névoa, esta Lua não é você, a menos que você seja lunático. Mas você é todo o acumulado de sua consciência. O conteúdo de sua consciência é o que você é; e esse conteúdo é aglomerado pelo pensamento.

Descubra não como cessar o pensamento, mas como observar o conteúdo. Quando você observa sem divisão, então surge uma ação totalmente diferente. Onde existe amor, não há observador. Não existe "você" e aquele que você ama, mas apenas a qualidade do amor.

Bombaim, 29 de janeiro de 1983.

O Que é Uma Mente Religiosa?

Nós falamos sobre muitas coisas que concernem à nossa vida diária. Agora devemos conversar sobre o significado da morte, mas esse não é um assunto mórbido. Além disso, devemos ter um diálogo sobre o que são religião e meditação. Mas antes que entremos neste assunto, gostaria de saber se estamos cônscios do que está acontecendo com nossas mentes, com nossos cérebros, da extraordinária capacidade do cérebro no mundo tecnológico, das admiráveis coisas que o cérebro, que é a base do pensamento, trouxe. Coisas extraordinárias estão acontecendo no mundo tecnológico, das quais a maioria de nós não tem consciência. Tecnologicamente, temos progredido, avançado rapidamente. Mas psicologicamente, ou seja, no que somos, em nosso comportamento, em nossas atitudes, em nossas ações, estamos pouco desenvolvidos. Ainda somos agressivos, brutais, cruéis, irracionais, como temos sido por milhares de anos. Aparentemente, o homem ainda está se comportando como se comportava há quarenta mil anos. Se tivermos a mesma energia, a mesma intensidade que empregamos no mundo tecnológico, então poderemos ir muito profun-

A Mente Imensurável

damente em nós mesmos e transcender a nós mesmos; o cérebro tem capacidade infinita aí também. Mas muito poucos empreenderam esta jornada. Muito poucos entraram nesta questão sobre se a mente, o cérebro, pode ser livre, completamente. E, portanto, devemos investigar muito intrinsecamente, examinar o que existe além do pensamento, se existir algo além do pensamento.

Alguns de vocês talvez tenham ouvido sobre engenharia genética. Os especialistas em genética admitem um fator, um elemento criativo, algumas tendências e qualidades passadas adiante do pai para o rebento, e dizem que, uma vez que um homem não mudou fundamentalmente por milhares de anos, talvez ele possa ser alterado por interferência genética. Estamos colocando o assunto muito resumidamente; esta é uma questão muito complexa, que não iremos discutir. Mas devemos compreender o que está acontecendo. Como os seres humanos não têm alterado suas características e seus modos de vida profundamente, os especialistas, através da química, estão na esperança de mudar os genes, os fatores que passam certas características do pai para o filho.

Não podemos negligenciar tudo isto: a engenharia genética e também o que está acontecendo no mundo do computador. Eles estão tentando criar, através do

J. Krishnamurti

computador, uma inteligência mecânica, uma inteligência última que pensará muito mais rapidamente, mais precisamente, e informará aos robôs o que eles devem fazer. Isso já está acontecendo. Eles estão tentando gerar uma máquina, um computador, que tenha a máxima inteligência. Então, de um lado, existe a engenharia genética e, do outro, o computador agindo como seres humanos, inventando a próxima geração de computadores, melhorando-os e assim por diante.

Logo, o que acontecerá com a mente humana? O que acontecerá conosco quando o computador puder fazer quase todas as coisas que fazemos? Ele pode meditar, pode inventar deuses – deuses muito melhores do que os de vocês –, pode informar, educar seus filhos muito melhor do que os professores e educadores atuais. E criarão um grande número de entretenimentos para o homem. O que acontecerá, então, às nossas mentes quando o computador e a engenharia genética avançarem rapidamente? O que acontecerá conosco? Teremos mais lazer; o computador e o robô farão muito mais coisas do que estamos fazendo agora nas fábricas, nos escritórios e assim por diante. Então o homem terá lazer. E como ele usará este lazer? Se o computador pode raciocinar mais que você, lembrar muito mais do

A Mente Imensurável

que você, calcular com velocidade estonteante e lhe propiciar lazer, ou você segue o caminho do prazer, que é entretenimento – cinemas, entretenimento religioso, toda a indústria do entretenimento incluindo a dos gurus –, ou você investiga, busca internamente, e descobre por si mesmo uma formidável área que está além de todo pensamento. Estas são as duas únicas possibilidades deixadas para nós: entretenimento ou investigação de toda a estrutura da psique e da ação.

Começamos perguntando qual é o significado da morte. Esse não é um assunto para um homem idoso; é uma questão para todos os homens, seja jovem ou não. Qual é o significado, a importância, dessa extraordinária coisa chamada "morte"? Ontem falamos sobre vários temas, incluindo o que é o amor e a compaixão. Qual é a relação da vida, que não representa apenas a existência humana, com o amor, com a morte e com toda a busca do homem por milhares de anos para descobrir algo que esteja além de todo pensamento? Devemos compreender o significado da morte, porque todos iremos morrer. Todos morreremos; esta é uma certeza absoluta. E temos medo dela, ou a racionalizamos. Você pode dizer, "Sim, eu a aceito, eu aceito a morte como aceito a dor, como aceito o sofrimento, como aceito a solidão" – o que significa se submeter, padecer à morte, permitir que toda a existência de um ser humano termine, seja por doença, por velhice ou por algum incidente. Você nunca descobre o que significa morrer enquanto está vivendo – que não é cometer suicídio, mas compreender a profundidade de toda esta questão. Você deve olhar para a morte como um incidente da vida, um fato da vida, como a violência é um fato da vida, como o ódio é um fato da vida. Se você for de algum modo razoável, sensato, deve olhar para esta questão da morte de um modo similar. Sem aceitar nem apenas dizer que é inevitável, ou tentar descobrir o que há além da morte, mas observar a natureza do morrer.

O que a morte significa para a maioria de nós? Estamos fazendo esta pergunta não retoricamente, mas para que descubramos. Sem dúvida, significa o fim organicamente, biologicamente, e o término de todas as coisas que nos são caras, de todas as mágoas, dores, sacrifícios, oposição, solidão e desespero. Tudo termina, o que significa que ou existe uma continuidade do ser, do "eu", ou o fim do "eu". A morte é um terminar. Você pode crer em reencarnação, como talvez a maioria de vocês. Se você acredita, deve fazer a pergunta, "O que é que continua?" Existe uma continuidade? Ou existe uma constante mudança – intervalo, término, começo?

A Mente Imensurável

Se você, como talvez a maioria das pessoas na Índia, acredita que irá renascer, o que é que renascerá? Certamente não é o corpo físico. Mas, se você acredita em reencarnação, ela será uma continuidade do que você é agora, uma continuidade de suas crenças, suas atividades, sua ambição e assim por diante. Será o agregado que é a consciência, que é o "eu". Este "eu", que é essencialmente consciência, é estruturado pelo pensamento – sua ambição, sua inveja, suas crenças religiosas, superstições, raiva e assim por diante; todos são atividades do pensamento. Você é o resultado de um contínuo movimento do pensamento. Se você crê em reencarnação, você deve descobrir se ela é uma ilusão ou uma realidade. Se você é o seu nome, sua forma, suas ideias, suas conclusões, suas experiências, tudo isso é fator de continuidade como "eu" na próxima vida? Agora, o que é esse "eu"?

Achamos que cada um de nós é uma entidade separada, um assim chamado "indivíduo". O que é essa individualidade? O nome, a forma, o que você lembra, suas atitudes, sua solidão, sua dor, sua ansiedade, seu caos, seu sofrimento e sua incerteza. Você pode ter ou não uma conta bancária, pode viver em uma bela casa ou em um pequeno quarto ou apartamento, mas você é

J. Krishnamurti

isso. Você é a conta bancária. Quando você está apegado à conta bancária, você é a conta bancária; quando você está apegado a uma casa, você é a casa; quando você está apegado a seu corpo, você é aquilo. Você pode ter uma bela mobília; e se você está apegado a ela, você é aquela mobília. Então, você é tudo isso. E o que significa? Quando você está apegado a uma cadeira, a uma pessoa, a uma ideia, a um ideal, a uma experiência pessoal, quais são as implicações deste apego? Por que você é apegado, se a morte diz, "Você não pode ser apegado, este é o fim"? Você pode acreditar no futuro, mas a morte diz, "Você chegou ao fim, seus apegos acabaram, sua conta bancária acabou, seu guru e toda a sua busca terminaram".

Então, o que é que continua, que renasce? Memórias, ideias? Que são o quê? Algo morto. Ou não existe continuidade de modo algum? Continuidade significa aquilo que continua se modificando – você está se tornando algo, conquistando e querendo mais. Continuidade implica em segurança, certeza. Você tem certeza de alguma coisa? Existe segurança em suas ideias? Queremos continuidade, esperamos ter continuidade porque na continuidade achamos que existe segurança. Alguém foi casado por dez ou quinze anos, cinco dias ou cin-

A Mente Imensurável

quenta anos, e existe uma certa continuidade, uma responsabilidade legal. Mas nesta continuidade existe conflito, miséria, infelicidade e tudo o mais. Então, não há continuidade alguma. Existe uma mudança constante, se é que você tem consciência dela. Essa mudança pode ser tanto superficial como uma mutação total – não uma transformação, mas mutação, mudança; aquilo que existia passa por uma mudança completa.

Deve-se descobrir por si mesmo qual é a verdade deste assunto. Não se pode ser convencido por argumento, pela assim chamada "evidência", e assim por diante. Não se pode ser convencido sobre nada. Deve-se buscar, investigar e descobrir o que é verdadeiro e o que é ilusão. Temos vivido com esta ilusão de que somos entidades separadas. Ao passo que, se você examinar bem de perto, a consciência – que é você – é compartilhada por toda a humanidade. Ela sofre como você sofre, é insegura como você é; solitária, miserável, confusa e ansiosa como você é. Então, sua consciência não é sua. É a consciência de toda a humanidade. Portanto, você é toda a humanidade. Isso não é uma mera conclusão lógica ou uma observação; é um fato. Temos sido treinados, tanto pela religião quanto pela educação, a pensar que somos indivíduos separados. Assim, temos medo de que esta individualidade possa terminar. Mas se você vê a realidade, a verdade de que você é parte da raça humana, então o que é a morte? Tenho medo de que eu possa morrer, e espero viver a próxima vida. Desejo ter continuidade, esperando que a continuidade me modificará, irá me alterar gradualmente até que eu atinja sabe lá Deus o quê. Quando alguém com tal pensamento, esse conceito de ser um indivíduo, aborda a questão da morte, surge um imenso medo do terminar.

Você, alguma vez, já investigou a natureza do terminar? Não a finalização para o começo de algo, mas terminar. Ou seja, você é apegado – a seus filhos, a seu esposo ou esposa, a uma coisa ou outra. A morte vem e varre aquele apego. Você não pode carregar o seu dinheiro para o céu. Você pode querer possuí-lo até o último momento, mas não pode levá-lo com você; a morte diz "não". Então você pode, enquanto está vivendo, compreender a natureza do apego com todo o seu medo, ciúme, ansiedade, sentimento de posse; você pode, enquanto está vivendo, ser livre do apego? Enquanto se está vivo, terminar algo voluntariamente, simplesmente, sem qualquer pressão, sem nenhuma recompensa ou punição, terminar – nisso há grande beleza. E então você compreende a natureza da liberdade. No término existe

A Mente Imensurável

um começo, algo novo. Existe um findar, e com ele o sentimento de total liberdade de todo o fardo que a humanidade tem carregado por séculos.

Você ouve tudo isso, sorri, acena com a cabeça e concorda, mas seguirá apegado. Este é um modo mais fácil, o que dá mais conforto – e o mais doloroso –, mas você continuará. E você diz que é praticidade. Portanto, você deve compreender a natureza do terminar – terminar a sua ambição em um mundo muito competitivo, o término de sua arrogância, de seu orgulho, de seu *status*. Quando este assim chamado "organismo" termina, o conteúdo da consciência da humanidade continua, a não ser que você promova uma mudança radical nessa consciência, uma mutação, de modo que você não mais esteja naquela corrente do egoísmo; você não mais seja capturado, engaiolado, colocado na prisão do apego, da incerteza e assim por diante. Então, existe um modo totalmente diferente de viver.

Devemos também falar sobre religião. É uma questão muito complexa. Juntos, descobriremos o que é uma mente religiosa; uma mente que seja religiosa, não uma mente que faz *puja*, realiza todas as cerimônias e tem crenças – isto não é religião, mas sim invenções do pensamento. Deus é invenção sua; porque você acha a vida tão limitada, enfadonha, com tanto sofrimento, você inventa um Deus que é todo perfeito, todo amoroso, plenamente belo.

E você venera o que você estruturou pelo pensamento. Assim, o pensamento o está enganando, mas você prosseguirá porque adora viver de ilusões. Portanto, você deve descobrir o que é uma mente religiosa, pois uma mente religiosa traz um mundo novo, uma nova civilização, uma nova cultura, uma nova fonte de energia. Você deve descobrir por si mesmo o que é uma mente religiosa não pelo que lhe dizem nem aceitando ser direcionado.

Obviamente, todas as religiões no mundo são o resultado de muita intriga, posses, de muita riqueza, tudo estruturado pelo pensamento. Não há como negar este fato. No entanto, por mais erudito que você seja, por mais cético ou religioso – no sentido comum da palavra –, você deve, se estiver preocupado com o que está acontecendo no mundo e ao seu redor, investigar o que é religião. Não por aceitar, crer ou ter fé – todas estas atividades estão relacionadas com os seus desejos, confortos, esperanças. Então, o que é uma mente religiosa? Você só pode descobrir se negar totalmente todas as estruturas religiosas atuais, as crenças religiosas e ideias,

A Mente Imensurável

porque somente uma mente livre pode descobrir qual a qualidade de uma mente religiosa.

Antes de tudo, pode-se ver claramente que liberdade é essencial. Não liberdade de alguma coisa. Um prisioneiro quer liberdade, o que significa que primeiramente ele foi capturado em uma prisão, e então ele quer liberdade para deixar aquela prisão. Isto é apenas uma reação; esta reação não é liberdade. Liberdade implica o término total de todas as ilusões, de todas as crenças, de todos os seus desejos e vontades acumulados. Esta liberdade é algo totalmente diferente do desejo de ser livre. Uma mente religiosa é uma mente sensata, saudável, factual; ela encara fatos, não ideias. O orador pode continuar explicando o que uma mente religiosa é. Talvez vocês aceitem as definições ou as neguem. Simplesmente argumentar, analisar e questionar pode ajudar, mas não necessariamente traz uma mente religiosa. Nós nos tornamos muito sagazes. Assim, deve-se ter muita humildade, um senso de não saber. Além disso, uma mente religiosa atua porque é compassiva. Esta ação nasce da inteligência. Inteligência, compaixão e amor caminham todos juntos.

Devemos, também, conversar sobre o que é meditação. Não sentar repentinamente ou apropriadamente;

isso não tem significado. Você pode sentar de pernas cruzadas, respirar apropriadamente, praticar vários sistemas, mas isso não é meditação. Iremos investigar, buscar por nós mesmos, o que é meditação. A palavra "meditação", de acordo com um bom dicionário, significa "ponderar sobre, pensar sobre, olhar de perto"; entrar em contato não com algo sublime inventado pelo pensamento, mas com sua vida diária. Este é o sentido comum do dicionário da palavra "meditação". Meditação implica também mensuração. O significado desta palavra é "medir"; significa ainda "pensar sobre, ponderar, considerar". Então, começamos perguntando, " Por que medimos?" O que queremos dizer por mensuração? Por que existe em nossa mente e em nosso coração essa constante mensuração? Mensuração significa "comparação" – comparar a mim mesmo com você, que é mais bonito, brilhante, seguro. O sentimento total do seu ser é totalmente diferente de mim, e eu me comparo com você, querendo ser como você, querendo ser como o guru, como o exemplo mais elevado. Por que comparamos na vida? Dizemos que comparamos para fazermos progresso. E estamos sempre comparando: "Você é bonito, eu não sou; eu quero ser tão bonito, tão poderoso quanto você"; "Eu quero ser iluminado como você é". Então, existe sempre essa

A Mente Imensurável

competição por comparação entre nós. Nunca estamos livres deste movimento, mas se estivermos, então o que somos?

Você precisa fazer comparação entre dois materiais, dois tecidos ou dois carros; nesses casos, você naturalmente precisa comparar. Mas no relacionamento humano, por que comparamos? E é possível ser livre da comparação, cessar a comparação? Se você o fizer, então eliminará um grande fardo que não tem realidade. Porque então você é o que é. Daí você pode começar. Mas você está sempre comparando, sendo um outro, então você é fundamentalmente infeliz, ansioso, amedrontado e tudo o mais.

Questione-se, por favor, se você pode viver sem comparação, sem qualquer forma de mensuração. Isso é muito difícil, porque você é treinado, educado, convencido de que você é "isto" e se tornará "aquilo". O vir a ser "aquilo" é uma forma de mensuração. Viver sem um único movimento de mensuração – isto é parte da meditação.

A maioria das pessoas que meditam agora seguem vários sistemas. Cada uma tem seu próprio guru, que estabeleceu certos sistemas de meditação. E você os pratica; você repete certas palavras várias vezes e chama isso

J. Krishnamurti

de meditação. Quando você as repete inúmeras vezes, o que está acontecendo com seu cérebro? Você se torna cada vez mais embotado, você se torna uma máquina, e crê que isso seja meditação. E você continuará apesar do que o orador está dizendo. Então, ao investigar o que é meditação, não pode haver qualquer sistema, esforço algum. Esforço significa conflito. Você pode se libertar dos sistemas, das práticas, percebendo o fato de que seu cérebro, seus sentidos, se tornam embotados. Talvez tenha sido isso que aconteceu a este país e seja a sua tragédia. Você consegue se libertar dos sistemas? Isto é tão lógico, tão palpável, tão sensato! Quando você pratica por várias vezes, sentado em postura ereta, você se torna gradualmente mecânico, embotado, como aquelas pessoas que pertencem a certas comunidades ou formam pequenos grupos. Você não pode conversar com elas razoavelmente; elas acreditam, praticam se matam. Pode, então, a mente, o cérebro, perceber o que significa seguir alguém, obedecer ao que alguém lhe diz porque ele tem uma vestimenta diferente e se denomina um guru? Todas estas coisas destroem a beleza de uma mente religiosa. A meditação não é quaisquer dessas coisas – incluindo *yoga*, ficar de cabeça para baixo e fazer todas estas coisas. Nada disso é meditação, obviamente.

A Mente Imensurável

Então, o que é meditação? Queremos experiência. Estamos ansiosos por alguma experiência diferente, uma assim chamada "experiência espiritual". Tivemos experiências suficientes neste mundo – de dor, ansiedade, sofrimento –, e dizemos que devemos ter algo mais, experiências mais grandiosas. Experiência não tem nada a ver com meditação. Para experimentar, deve haver um experimentador; e se existe um experimentador, ele é a continuidade de memórias passadas, que é o "eu". Meditação é a compreensão de toda a estrutura do "eu", o *self*, o ego, e a descoberta sobre se é possível se tornar totalmente livre do "eu", e não buscar uma espécie de "supra-eu". O "supra-eu" é ainda o ego. Então, a meditação é algo que não é uma atividade cultivada, determinada. Deve haver liberdade; e onde há liberdade, existe espaço.

Eu gostaria de saber se compreendemos o que seja "espaço". Temos espaço além do espaço no mundo físico? Temos espaço vivendo em Bombaim? Dificilmente. Vivemos em um pequeno apartamento ou em um pequeno quarto, e nossas mentes gradualmente aceitam aquele pequeno espaço. Estamos falando do espaço que não tem paredes. Quando você olha para o mar, o nevoeiro se foi, e você vê o horizonte longínquo, a vasta distância; quando você olha para as estrelas, e vê seus brilhos extraordinários e a imensidão do espaço, você vê quão pequeno e estreito é o espaço em sua mente. Esse espaço em seu coração e mente é controlado, moldado, estruturado, de modo que dificilmente existe mais algum espaço em você. Para compreender aquilo que é sagrado, deve haver um vasto espaço – em você, não externamente. Espaço não é separação, não é divisão. Quando você divide, existe espaço – entre você e sua esposa, entre a Índia e outro país –, mas isso não é espaço. O espaço interno só pode existir quando não existe conflito de modo algum.

Quando há espaço vasto, ilimitado, na mente, só então, neste espaço, existe energia – não a energia e fricção do pensamento, mas a energia que nasce da liberdade. Quando existe esse espaço, esse silêncio e essa energia imensurável, então existe aquilo que é inominável, imensurável, atemporal. Então existe o sagrado. Mas para encontrá-lo, deve-se ter imenso amor, grandiosa compaixão, que deve começar em casa. Você deve amar sua esposa, seus filhos, seu marido. O amor não pode existir com apego. Se existe apego, então você tem todos os problemas da vida.

Portanto, isto é sua vida. Ou você realiza uma grande revolução radical, psicológica, em si mesmo, ou os es-

A Mente Imensurável

pecialistas do mundo genético é que farão você realizar alguma coisa. Então você se tornará uma mera máquina, e a vida terá muito pouco significado. Mas existe grande propósito, grande sentido, se você souber, se você estiver cônscio do que é o amor, do que são a compaixão e a inteligência. Disso surge um imenso silêncio e um vasto espaço. Nada disso poderá existir se houver alguma sombra de egoísmo. Isto é meditação, não a repetição de palavras, nem a disciplina por determinação, mas a disciplina da ordem que surge quando não há conflito.

Bombaim, 30 de janeiro de 1983.

Leia também:

Aos Pés do Mestre
J. Krishnamurti
(Alcyone)

Esse livro é uma joia de inspiração espiritual, cujo valor inestimável reside na simplicidade, profundidade e poder de síntese de sua mensagem, para aqueles que aspiram por mais luz, sabedoria e amor para todos.

Desde 1910 tem sido traduzido em mais de 27 línguas e apreciado em inúmeros países de todo o mundo.

Gráfika
papel&cores
(61) 3344-3101
papelecores@gmail.com